La collection « Azimuts »
est dirigée par
Monique Gagnon-Campeau et Patrick Imbert

Le grand débarras

Azimuts | roman

Gilles Desmarais
Le grand débarras

ents d'Ouest

Données de catalogage avant publication (Canada)

Desmarais, Gilles
   Le grand débarras

  (Azimuts/roman)

  ISBN 2-921603-93-4

  I. Titre. II. Collection.

PS8557.E834G72 1999   C843'.54   C99-940254-4
PS9557.E834G72 1999
PQ3919.2.D47G72 1999

Nous remercions le Conseil des Arts du Canada de l'aide accordée à notre programme de publication. Nous remercions également la Société de développement des industries culturelles et Patrimoine canadien.

Dépôt légal —   Bibliothèque nationale du Québec, 1999
                Bibliothèque nationale du Canada, 1999

Correction : Renée Labat

Éditions Vents d'Ouest inc.
185, rue Eddy
Hull (Québec)
J8X 2X2
Téléphone : (819) 770-6377
Télécopieur : (819) 770-0559

Diffusion au Canada : Prologue
Téléphone :   (450) 434-0306
Télécopieur : (450) 434-2627

Diffusion en France : DEQ
Téléphone :   01 43 54 49 02
Télécopieur : 01 43 54 39 15

*Remerciements à mes lecteurs
et lectrices de la première heure :*

*Ginette D. et Lise B.,
Suzanne G., Marcel L. et Robert M.,
Lise L. et René P. ;*

*à une précieuse,
voire indispensable collaboratrice
de la dernière heure :*

Monique G.-C. ;

à Carmen

Prologue

SA MAIN droite tenait le volant fermement, mais sans tension évidente. De l'index et du majeur de la main gauche, il caressait de façon inconsciente l'arc opposé. Il roulait vite, mais sans excès. Son regard, détendu, décodait chaque tournant de la route pour, ensuite, prendre le temps d'admirer la nature qui, d'un côté comme de l'autre, se renouvelait inlassablement. Cet homme incarnait l'équilibre même : un calme imperturbable, un regard serein capable de pacifier les irascibles, une attitude décontractée, très à l'aise, presque nonchalante. Il affichait cette tranquille assurance propre aux personnes conscientes de leur force morale, sûres de pouvoir encaisser les coups du destin, quels qu'ils soient. Ça allait de soi, lui semblait-il. Il était satisfait de ce qu'il était, se souvenant, non sans fierté, d'avoir à plusieurs reprises traversé des moments difficiles sans avoir jamais perdu les pédales.

Il aimait conduire et cette pratique lui procurait de vives satisfactions. De Saint-Donat jusqu'au croisement qui indiquait Rawdon, la route 18* était plutôt sinueuse, une caractéristique qui procurait habituellement, au conducteur sportif qu'il était, toute une gamme de sensations fortes. Mais, cette fois-ci, le cœur n'y était pas. Il redoutait, plus ou moins confusément, que les prochaines heures le mettent à l'épreuve comme jamais auparavant. Arriverait-il à ressentir,

---

* Devenue depuis la route 125.

9

mais surtout à exprimer ses émotions telles qu'elles se manifesteraient ? Il n'était plus du tout certain d'y réussir quand, trente minutes plus tard, débouchant sur le boulevard Gouin, il vit se dessiner le profil de l'hôpital Marie-Clarac. Il sentit une boule s'installer au creux de son estomac, haussant d'un cran le sentiment d'anxiété qui l'habitait déjà. Mais il ne pouvait être question de rebrousser chemin ! Il ne lui restait qu'à espérer retrouver, au chevet de sa mère agonisante, l'une ou l'autre de ses deux belles-sœurs, sachant que ses frères n'étaient ni plus courageux ni plus authentiques que lui.

Il eut une pensée reconnaissante à l'endroit de Claudette et de Bernadette. Elles s'étaient relayées ponctuellement au chevet de leur belle-mère, depuis le début de la phase terminale, allégeant d'autant les obligations des fils de la moribonde envers celle-ci. Cette présence continue, en alternance, s'était organisée le plus naturellement du monde pour une raison fort simple : les deux belles-sœurs ne pouvaient mutuellement se souffrir ! Se croiser à l'arrivée comme au départ constituait déjà, pour elles, un geste héroïque. Elles se retrouvèrent donc complices involontaires d'une mission, que chacune avait choisi d'accomplir avec beaucoup de générosité, par amour pour leurs maris.

Il gara sa voiture. La centaine de pas qui le séparait de l'entrée principale lui permit de goûter à la douceur de ce soir d'été, tempéré comme il les aimait. Il aurait préféré de beaucoup se retrouver à l'instant même sur les eaux du lac Croche, à guider son canot dans les méandres de ses affluents, à écouter le chant des oiseaux, à la tombée du jour ; il entendait presque le *tchoc-tchoc* des quiscales bronzés qui, à cette heure même, se regroupaient à l'embouchure des ruisseaux. Il imaginait, tout aussi facilement, la cadence soutenue d'un rat musqué traversant à la nage, devant son canot. Ces scènes familières, comme il les regrettait en cet instant !

Il s'interrogea sur le nombre d'allées et venues que les événements lui avaient ainsi imposées, depuis sept mois. À l'origine, sa mère avait subi un accident : une chute sur le plancher de sa cuisine. Mais Herminie, que personne n'appelait de son prénom entier, elle-même préférant « Minie », se laissait dépérir sans raison apparente. Le cœur était défaillant, certes, mais pas au point de causer sa fin. Elle manifestait aussi quelques symptômes de diabète, mais là encore, les médecins n'étaient pas alarmistes. Aucun diagnostic de cancer n'avait été posé. Un accident de cette nature était fréquent à son âge, mais la plupart des victimes s'en remettaient bien. Non, quelque chose la démoralisait. Était-ce la perspective de devenir dépendante de son mari qui lui enlevait le goût de vivre? Charles, de sept ans son aîné, n'était pas le mari sur qui elle aurait pu compter dans la maison, l'inverse étant plus vrai! Depuis cinq jours, son état était comateux et les médecins avaient prévenu ses proches de la fin imminente. Le dernier message des belles-sœurs indiquait qu'elle perdait de plus en plus conscience et, la morphine aidant, qu'elle semblait dormir constamment. C'est d'ailleurs dans cet état qu'il l'avait trouvée, lors de sa dernière visite, deux jours plus tôt.

Au sortir de l'ascenseur, ses yeux repérèrent la plaque portant le numéro 332, qu'il atteignit plus rapidement qu'il ne l'eût souhaité. La porte entrebâillée et la pénombre dans laquelle baignait la pièce lui signalèrent l'absence des belles-sœurs. Il s'y faufila doucement, autant par timidité que par délicatesse, et l'image qui l'accueillit se grava instantanément et pour toujours dans sa mémoire : allongée sur le côté gauche, sa mère, immobile, fixait la porte comme si elle attendait l'arrivée de quelqu'un. Est-ce lui qu'elle souhaitait voir arriver ainsi? Il resta un moment sur place, dans l'embrasure, décontenancé, figé. Il s'approcha, tout de même, tira un fauteuil près du lit, sans détacher son regard de celui de sa mère. Quand sa tête parvint à la hauteur de la sienne, il ne put retenir un tressaillement. Dilatés, les yeux noirs de Minie n'avaient jamais atteint une telle intensité. L'immobilité de son corps mettait en évidence la profondeur du regard. Il lui sembla que l'énergie devenue inutile à ce corps amaigri, exsangue, se retrouvait tout entière dans ces prunelles, comme seule manifestation de la vie encore présente.

— Bonjour, comment ça va?

Ces mots, il les entendit mais n'eut pas l'impression d'avoir voulu les dire. Ils lui apparaissaient ridicules et totalement déplacés. Seule la douceur du ton convenait, ce qui l'apaisa quelque peu.

— Comme tu vois, j'suis venu.

Deuxième phrase guère plus adroite! Il ragea intérieurement: qu'est-ce qu'il lui arrivait? Où étaient passés sa maîtrise de soi et son sens de l'à-propos?

— Est-ce que tu m'entends?

Enfin, une question raisonnable, mais qui n'obtint aucune réponse. Il lui prit la main et, à sa grande surprise, la trouva plutôt chaude.

— Peux-tu me parler?

Le silence se prolongeait... Il devint bientôt incapable de le briser. Non qu'il fût dépourvu d'inspiration, mais les mots qui lui venaient ne franchissaient pas le seuil de sa gorge. Il se contenta de river ses yeux sur ceux de sa mère, alors qu'un flux intérieur surgissait, montait, se retrouvant pourtant bloqué quelque part, coincé par un obstacle indéfinissable:

« Je suis triste de te voir ainsi... Maman, je t'aime... Maman, je t'aime... »

Cette dernière phrase revenait sans cesse, obsédante. Qu'il aurait aimé s'entendre la prononcer, lui qui ne l'avait jamais dite! Mais aucun son ne parvenait à ses oreilles. Il y voyait le résultat de plus de quarante ans de conditionnement familial au mutisme affectif. Si la dureté et la sécheresse de son père l'avaient toujours révolté, force lui était maintenant de constater qu'elles se répercutaient sur lui, sur sa propre capacité à exprimer ses sentiments.

Son père... Quelques jours auparavant, il lui avait déclaré avoir fait ses adieux à Minie! Ses quatre-vingt-quatre ans et la perspective de l'inconscience progressive de la moribonde l'avaient convaincu que sa propre survie exigeait qu'il pense d'abord à lui. Il avait ainsi décidé de mettre fin à ses visites quotidiennes et en avait dûment informé Minie. Quel monstre! Comment un époux pouvait-il souhaiter être ailleurs qu'auprès de sa compagne, à cette ultime étape de leur vie commune? Son père, le mari et partenaire de Minie depuis cinquante-sept ans, « le grand Charles », en avait décidé autrement. Cette déclaration l'avait littéralement assommé, abasourdi. Or en ce moment, seul à seul avec sa mère, alors que toutes les confidences, toutes les marques d'affection lui étaient permises, il devait convenir qu'il n'était pas devenu plus démonstratif, après quarante-deux ans de vie, que son père ne semblait l'être au bout du double!

Autant ce tête-à-tête lui faisait du bien, lui donnait le sentiment de communier à la solitude de sa mère comme jamais il ne l'avait fait, autant la situation le désarmait. Il éprouvait le désir de prendre dans ses bras cette femme si rarement embrassée, de lui murmurer les mots d'affection dont elle avait toujours été privée, de la rassurer sur la place qu'elle tenait dans son cœur et dans celui de tous ses frères, il en était sûr. Mais il ressentait comme une paralysie des bras et une atrophie congénitale de la parole.

Incapable de briser ce cercle vicieux, le visiteur jugea avoir fait ce qu'il devait, ou, à tout le moins, ce qu'il pouvait. Il approcha son visage de celui de sa mère et réussit à poser, avec une infinie tendresse, un baiser sur son front livide. Il plongea encore une fois son regard dans le sien, qui semblait ne pouvoir se rassasier de le regarder : le fils regardait sa mère et la mère regardait « son bébé »… Enfin, il déposa délicatement la main qu'il avait gardée dans la sienne et, se relevant, quitta la chambre et l'hôpital. Le lendemain, sa mère ne serait plus de ce monde, il le savait.

Sur le chemin du retour, il choisit de faire un crochet par Chomedey pour y saluer son frère Joseph, l'aîné de la famille. Il était près de neuf heures du soir lorsqu'il stoppa sa voiture devant un bungalow anonyme de la rue McNamara. Le troisième des sept enfants que comptait la famille lui ouvrit :

— Bonsoir, Claude!

— Bonsoir, mon onc' Bernard… Papa, c'est mon onc' Bernard!

— Dis-lui de descendre…

Il embrassa sa belle-sœur au passage :

— Bonsoir, Claudette.

— Salut, Bernard! T'arrives de l'hôpital?

— Oui.

Il la mit brièvement au courant de ses observations, puis rejoignit son frère au sous-sol.

— Salut, Joseph!

— Salut... t'arrives de l'hôpital?

Joseph, écrasé dans son fauteuil préféré, posa cette question sans détacher son regard de la télé.

— Oui, justement... Ça achève.

— Han han...

Bernard se laissa choir dans le fauteuil voisin et, tout comme Joseph, fut immédiatement absorbé par ce qui se passait à l'écran : Neil Armstrong venait de poser le pied sur la lune. Le prétexte parfait pour évacuer le drame qui se jouait, au même moment, dans une chambre d'hôpital. Avec une complicité tacite remarquable, les deux frères se transportèrent à leur tour sur la lune, pour y accompagner Armstrong dans ses bonds prodigieux.

Un petit saut dans l'espace, mais, à n'en pas douter, un grand pas pour l'humanité...

— Prends-toi une bière et apporte-m'en une!

— OK!

On était au soir du 21 juillet 1969.

1

ELLE l'a très bien vu tourner les talons et quitter sa chambre. Elle en a ressenti un bref pincement au cœur, mais plutôt que d'entretenir des regrets, à l'heure où ils deviennent totalement inutiles, elle préfère de beaucoup savourer la chaleur laissée sur son front par ce dernier baiser. Rien de son émoi ni de ses maladresses ne lui a échappé. Elle l'a revu une dernière fois et toute l'importance de l'événement est là. Elle aurait certes préféré qu'il demeure près d'elle, qu'il remplace son lâche époux, en quelque sorte, mais elle l'en sait incapable et son départ précipité ne l'a pas vraiment surprise. C'est bien là son Bernard, aussi sensible que son grand Charles, la dureté en moins!

Depuis qu'elle a repris conscience, elle a ardemment désiré revoir ses enfants, les quatre qui lui restent... tous des hommes maintenant mais, pour elle, toujours ses petits. C'est alors que Bernard est apparu. Les autres viendront-ils?

Elle s'étonne d'être aussi éveillée, après une longue période de torpeur et de confusion. Ce sursaut de lucidité, elle le sait, annonce la fin prochaine mais cette perspective, loin de l'inquiéter, la calme. N'est-ce pas ce qu'elle veut? Que lui importe maintenant la vie, en effet! Que lui réserverait-elle, sinon un long calvaire de dépendance auprès d'un homme qu'elle a d'abord recherché, puis longtemps craint et qui, maintenant, l'indiffère, faute de lui inspirer du mépris. Car le mépris, ça non! C'est un sentiment indigne d'une bonne chrétienne!

Pourtant, elle l'a voulu cet homme. Cet élégant jeune homme, « le grand Charles », qui faisait tourner les têtes de toutes les couventines quand il revenait, occasionnellement, dans son village natal. Un vrai *survenant*. Et cette pensée la ramène immédiatement à ce village, à son village, Saint-Liboire. Un village qui, comme bien d'autres, semblait avoir poussé dans les champs sans raison apparente. Mais l'histoire est tout autre. Enfant, elle a entendu son père la raconter à un visiteur.

Elle se revoit, assise à côté de lui, à la fin du repas. Sa tête dépasse à peine le bord de la table, ce qui lui permet de déposer son menton sur ses mains, posées à plat à la place de l'assiette :

— L'village a été construit ben après l'chemin d'fer. Pis c'est l'Grand-Tronc qui a décidé d'son emplacement.

— Comment ça?

— Ben, c'est pas compliqué. Simplement, les premiers colons avaient commencé à couper du bois, pis y' fallait l'sortir. Le train s'arrêtait pour le charger au point le plus élevé d'la voie ferrée, entre Saint-Hyacinthe pis la rivière Noire. C'était plus économique pour la compagnie de faire arrêter sa locomotive là, vu qu'elle était quasiment au point mort, de toute façon. Une fois que l'bois coupé était chargé, le train r'partait facilement en dévalant la pente. C'est comme ça qu'on a décidé d'l'endroit ousque l'village s'rait construit. Pensais-tu que c'était l'curé qui avait décidé d'ça?

❧

En parcourant ses souvenirs du village, Minie revoit la maison où sa famille s'est installée alors qu'elle avait à peine dix ans, rue du Dépôt. Et aussi le couvent des Sœurs de Saint-Joseph, son *alma mater*, une construction sur deux étages, en briques rouges; la rue Saint-Patrice, avec ses rares commerces, ses maisons de bois sagement alignées et, surtout, l'église paroissiale, avec son clocher argenté qui brillait fièrement au soleil. C'est une église qu'elle a toujours trouvée belle, mais dont sa mémoire a retenu une impression trouble au contact du grandiose, du mystère, de la crainte et de la joie confondus. Elle se souvient surtout que le 5 août 1912, elle y a épousé Charles Beauregard.

Son plus lointain souvenir de lui remonte à sa tendre enfance. Les terres de leurs parents respectifs se faisaient face, de chaque côté du rang Saint-Édouard, à un mille du village, passé « le domaine ». C'est une parcelle de forêt primitive plutôt marécageuse, que les colonisateurs ont naguère contournée et où seuls les garçons ont la permission d'aller jouer, ce qui enrage les filles les plus hardies. Les gars en reviennent en parlant de ouaouarons gros comme des chats et de serpents « longs comme ça »!

La maison natale de Minie Lareau est en briques rouges et de style victorien. Elle en a toujours été fière. Elle se revoit, allongée dans l'herbe du parterre; il lui arrive souvent de le faire, par les chaudes journées d'été, lorsque sa mère lui donne congé. Elle cherche à suivre des yeux les volutes des frises de la galerie et celles des corniches du toit. La maison des parents de Charles est beaucoup plus modeste. Les murs extérieurs sont simplement recouverts de bois blanchi, posé à la verticale. Il n'y a même pas de « chapeau », au-dessus du perron avant!

Les frères aînés de Minie et les enfants Beauregard jouent régulièrement ensemble, selon leurs rapports d'âge. Bien que les sept ans qui séparent Charles de Minie soient suffisants pour exclure celle-ci de l'horizon de celui-là, elle se plaît à l'observer, à distance, et le trouve différent de ses frères. Charles, dernier de famille tout comme elle, est plus solitaire que ses frères, plus particulièrement depuis qu'il a perdu son père, alors qu'il avait six ans. Il est surtout moins bruyant qu'Aristide, lui qu'on peut entendre tonitruer de loin. Cette caractéristique attire Minie.

Le bon voisinage se déroule sans histoire jusqu'à ce que Charles termine son cours primaire à l'école du village, vers l'âge de treize ans. C'est alors que sa mère prend une décision qui éloignera le jeune garçon de son milieu.

Minie revoit cette femme, Victorine Gariépy : grande, mince, énergique. La perte de son mari n'a pas réussi à la l'abattre. N'a-t-elle pas accepté d'épouser ce veuf de vingt ans plus âgé qu'elle et d'en avoir six enfants, auxquels s'ajoutent les seize qu'il a eus de sa première femme ? C'est effectivement lorsque son aîné se marie que le veuf a l'idée d'en faire autant. Il se dit alors que la solution la plus simple est d'épouser la sœur de sa nouvelle bru. Il devient ainsi le beau-frère de son fils et l'oncle de ses petits-enfants ! La mort du mari de Victorine, à soixante-neuf ans, n'est guère précoce après une vie aussi mouvementée ! Denis Beauregard, c'est son nom, compte parmi les premiers colons de Saint-Liboire.

Charles a déjà raconté à Minie de quelle façon sa mère avait décidé de son avenir.

— Charles, mon fils, tu viens de finir ton école, au village, pis, comme tu peux l'voir toi-même, y' a pas mal de monde dans la maison. C'que j'veux t'parler, j'en ai aussi parlé à tes frères Aristide et Romain. Victor a maintenant vingt ans ; y' est en âge de s'marier. C'est normal que la terre lui r'vienne. Y' faut penser à l'avenir des aut' et au tien. Pour c'qui est des deux filles, la question s'pose pas ; elles sont pas mal avenantes et les bons partis manquent pas dans la paroisse. Mais pour toi, mon jeune, c'est plus compliqué. Y as-tu pensé ?

— Non, m'man, pas vraiment… Non, j'y ai pas pensé.

— D'abord, j'pense ben que t'as pas la vocation. En tout cas, t'en parles pas ben gros. Mais tes frères pis moi, on a r'marqué ton adresse, quand t'as réussi à réparer l'horloge le mois passé. Ça nous a pas mal impressionnés. C'est clair que t'es plus attiré par les métiers que par la terre. De toute façon, t'as pas la force physique pour faire un bon cultivateur, aussi ben s'faire à l'idée. Qu'est-ce tu dirais d'apprendre le métier d'horloger ?

— …

— J'en ai parlé au curé Bertrand. Y' connaît une maison à Montréal qui s'rait prête à te r'cevoir. Y' vont même s'occuper de t'trouver une place pour travailler.

— Ben, si…

— De tout' façon, mon pauv' Charles, on a pas ben ben l'choix. J'pense que c'est la meilleure solution. On va laisser passer l'été, pis en septembre, on f'ra ta valise.

Charles ne trouve pas matière à répliquer. Sa famille ne pouvant lui payer une pension, c'est au Patronage Saint-Vincent-de-Paul qu'il va être hébergé, un foyer d'accueil pour orphelins mineurs prêts à se mettre en apprentissage ou à travailler. Cette institution, dirigée par les frères de Saint-Gabriel, est logée dans un vaste et sombre édifice de la rue Côté, en plein centre-ville.

Charles deviendra donc horloger.

Minie ne le revoit pas avant cinq ans. Le jeune homme a atteint ses dix-huit ans et est devenu un « gars d'la ville », de surcroît. Quelle métamorphose! Elle en est tout émue. Mais un jeune adulte de cet âge s'intéresse encore moins à une fillette de onze ans, qu'un garçonnet de treize ans à un bébé de six ans! C'est la première blessure d'amour-propre de Minie.

En 1902, Théophile, le père de Minie que tout le monde appelle « Tâphile », décide de céder sa ferme à son fils Cyrille et de s'installer au village. Il achète une propriété comprenant un terrain d'une acre et une maison avec dépendances, sur la rue du Dépôt, pour laquelle il paie mille six cents dollars comptant. Pour bien marquer ce qu'il considère lui-même comme une ascension sociale, il fait cadeau à Minie d'un beau piano tout neuf et lui procure les services d'un professeur de piano.

Minie retient ce souvenir un moment, pour se rappeler combien ce cadeau lui avait fait plaisir. L'instrument était superbe. Ses compagnes de couvent se pâmaient parfois d'envie, en l'admirant. Même sa maîtresse de piano, qui en avait vu d'autres, lui en avait souligné la qualité.

La jeune Minie se révèle rapidement une élève douée.

— Attention, mademoiselle Lareau, le poignet plus haut : un, deux, trois… Marquez bien le temps fort : un, deux, trois… Tenez-vous droite! C'est ça…

Mademoiselle Agathe Bachand correspond parfaitement au stéréotype de sa profession : grande, sèche, exigeante, mais compétente. Malgré son apparence rébarbative, elle a un cœur d'or et adore sa talentueuse élève. Cette pratique remplit les creux de l'existence de Minie, car, en dehors des études, le village ne génère pas beaucoup d'activités. Il lui arrive même souvent, le dimanche, d'assister avec ses amies à la messe basse du vicaire, à la grand-messe du curé et aux vêpres, juste pour passer le temps et voir du monde! À ces activités s'ajoutent parfois de longues promenades, en petits groupes, sur les trottoirs de bois tout neufs du village.

⁓

Les années filent; le grand Charles commence à s'estomper dans les souvenirs de Minie lorsque survient dans sa vie un personnage bien particulier: le cordonnier du village. Il s'appelle Moïse, Moïse Beaulac. Il a ouvert son échoppe depuis peu. Personne ne sait au juste d'où il vient. Peut-être a-t-il été sauvé des eaux, insinuent les couventines, en ricanant derrière la main. Il est peu bavard avec ses clients masculins, mais plus loquace avec ces dames. Minie a alors seize ans et est aux études. Moïse sait parler. Non qu'il soit instruit, mais il parle avec tant d'aisance que Minie s'en trouve toute remuée:

— Bonjour, Mam'zelle Lareau! Quel beau temps aujourd'hui, pas vrai?

— Oui, en effet… (hi! hi!)

— Qu'est-ce que vous m'apportez à réparer c'te fois-ci?

— Ben, c'est mon talon d'guêtre qui est arraché… J'sais pas comment j'ai fait mon compte…

— Montrez donc, voir…

— …

Moïse la dévisage de façon presque impudique. Minie sent la rougeur lui monter au visage. Hé! que ça la choque donc, cette tendance à rougir pour tout et pour rien!

— Hé! c'est des tannantes de belles guêtres que vous avez là! Vous d'vez êt' bell' rare, là-d'dans…

— Ben voyons là, vous…

20

— Non, non, protestez pas. D'ailleurs, chus ben placé pour le savoir, installé comme ça dans ma vitrine. J'vois tout' les filles passer su'a grand-rue, pis c'est pas d'hier que j'vous ai r'marquée…

— Arrêtez-moi ça là, vous, voyons…

— Quoi, ça vous gêne que j'vous dise ça? J'comprendrais pas pourquoi… C'est plutôt moé qui devrait êt' gêné d'vous l'dire.

— …

— Ben… vous, belle comme vous l'êtes, vous pouvez avoir les plus beaux gars comme soupirants, tandis que moé…

Il fait ainsi allusion à son handicap physique. Plusieurs, dans le village, l'appellent « le bossu », mais Minie n'est pas d'accord.

— Qu'est-ce qui vous prend, vous, de dire des affaires comme ça? Moi, j'vous regarde dans les yeux pis c'que j'vois là, j'trouve ça beau!

Étonnée de son audace, Minie quitte l'échoppe précipitamment. Mais il faut bien, un jour, reprendre les bottes…

— Mes guêtres sont-elles prêtes?

— Oui, mam'zelle Lareau. Donnez-moé juste une minute que j'clouse c'talon-là, pis chus à vous.

Pendant qu'il achève son clouage, elle l'observe à la dérobée. Certes, son handicap est apparent, mais il a de beaux cheveux châtains. Ses yeux, bleus comme le ciel, expriment l'honnêteté. Elle pose son regard longuement sur ses mains, des mains fortes qui traduisent l'adresse, le savoir-faire… Cette dernière observation la trouble et elle se détourne.

— V'là vos bottes à guêtres, mam'zelle Lareau.

— Combien j'vous dois?

— Ça s'ra vingt cennes.

Elle lui tend une pièce de cinquante sous. Il saisit la pièce et la main qui l'offre.

— Oh!

— Excusez-moé. Ça faisait longtemps qu'j'y pensais… qu'j'avais envie de toucher vot' main. Voir comment c'était…

– …

Le moment de surprise passé, elle le laisse palper son pouce, la paume de sa main, dessiner le contour des doigts avec les siens… La douceur de ses gestes et le contact de sa peau lui procurent une sensation inédite.

– Vot' peau est douce comme du *kid* ; j'aime ça la toucher…

Ils se regardent intensément. Lentement, sans la quitter des yeux, il l'entraîne vers l'arrière-boutique. Elle veut résister mais ne le peut pas.

– Suis-moé, aie pas peur…

Ils ne peuvent détacher leur regard l'un de l'autre. Imperceptiblement, les mains de Moïse quittent les siennes pour remonter le long de ses poignets, de ses avant-bras ; elles frôlent ses coudes, caressent au passage ses bras, s'attardent autour des épaules, rejoignent son cou. Elle sent les doigts de Moïse effleurer délicatement sa nuque, alors que les pouces contournent ses oreilles pour amorcer de sensuelles et douces arabesques sur ses joues.

– Eh ! qu't'es bonne à caresser !

Minie est hypnotisée… Bien que ses yeux commencent à se dessécher, elle n'a plus le réflexe de ciller. Leurs visages se rapprochent et leurs lèvres frémissent, lorsqu'elles se rencontrent… Celles de Moïse, humides, se déplacent au rythme sinueux de ses doigts. Toute notion du temps s'est évanouie… Mais Minie, dans un sursaut, se rappelle subitement celle des convenances. Brisant l'étreinte, elle sort en trombe de l'échoppe. Elle en a oublié sa monnaie…

Minie s'aperçoit bientôt qu'elle a l'air d'une personne en fuite. Elle ralentit un peu son allure, tout en se demandant comment elle a pu aller aussi loin aussi vite ! Mais, le cœur battant encore la chamade, elle doit admettre qu'elle éprouve pour cet homme une attraction indéfinissable, irrésistible.

Le lendemain, au retour du couvent, comme elle se trouve devant l'échoppe de Moïse :

– Attends-moi, Béatrice, mon lacet de bottine s'est détaché !

Et Minie de mettre le genou par terre pour soi-disant refaire la boucle du lacet, tout en jetant un coup d'œil à la vitrine. Il est là. Il suspend sa tâche et la regarde fixement, intensément. Elle lui sourit d'un air furtif, termine sa boucle et prend la poudre d'escampette!

Elle trouve, au cours des semaines qui suivent, d'autres chaussures à réparer et retourne à trois reprises à l'échoppe de Moïse. L'arrière-boutique est devenue un endroit familier, un lieu de complicité.

— À chaque fois qu'tu r'viens, chus content. Plus ça va, plus chus content…

Cette fois, Moïse l'encercle de ses bras et la caresse avec plus de passion encore. Il fait pivoter Minie sur elle-même et, l'enlaçant par derrière, l'embrasse profusément dans le cou et lui mordille délicatement les oreilles, ce qui déclenche chez Minie un petit rire fou de plaisir. Puis, tout en lui caressant la joue de ses lèvres, il laisse ses mains s'insinucr sous les seins, prendre le temps d'en apprécier le galbe en effleurant à peine les mamelons. La respiration de Minie s'accélère. Confusément, elle sait qu'elle devrait résister, s'offusquer même, mais cette nouvelle sensation est trop agréable et sa charge suggestive trop envahissante pour qu'elle songe à réprimer le geste.

— Quand j'te tiens comme ça, dans mes bras, c'est comme si la terre entière m'appartenait…

Ayant conquis ce nouveau territoire, Moïse permet à ses mains de descendre le long du torse, auquel il imprime un mouvement de rotation pour ramener Minie face à lui. Il laisse glisser ses mains jusqu'à la base des reins, allonge le geste jusqu'aux fesses, s'y attarde un moment, en y traçant des cercles qui élèvent d'un autre cran le rythme respiratoire de Minie. Les doigts de Moïse s'écartent progressivement, et, telles les serres d'un aigle, s'assurent d'une prise solide pour ramener avec force le bassin de sa partenaire contre son sexe gonflé, prisonnier rebelle d'un pantalon devenu trop étroit. Cette étreinte imprévue arrache à Minie un geignement d'abandon. Elle sent une chaleur inconnue envahir le bas de son ventre. Moïse sait maintenant qu'il pourrait aller plus loin.

— J'ai l'goût d'toé comme c'est pas possible…

Mais en fin séducteur, il préfère ne rien brusquer. Il choisit de désamorcer la charge érotique aussi graduellement qu'il l'avait créée, et relâche peu à peu son étreinte.

— C'est effrayant l'effet qu'tu m'fais, Minie! J'sens que si ça continue, j'pourrai pus m'passer d'toé.

— Pis moi donc! Mais… j'ai la tête trop à l'envers pour t'en dire plus… J'saurais pas quoi dire de toute façon. Y' faut que j'mette de l'ordre dans mes pensées, Moïse… cher Moïse…

Et Minie lui caresse le visage, doucement, amoureusement, tout en gardant les yeux rivés sur les siens.

— Quand tu me r'gardes comme ça, Minie, t'as pas besoin de rien m'dire. J'sais c'que tu penses.

Ils restent un long moment enlacés, silencieux. Puis, Minie se dégage délicatement de ses bras.

— Laisse-moi seule deux minutes, pour que j'reprenne mes sens… que j'me replace les cheveux un peu, avant de partir.

Elle quitte l'échoppe dès que sa respiration a repris un rythme normal. Le grand air lui fait du bien, la dégrise un peu. Cette chaleur inconnue, qui avait envahi le bas de son ventre plus tôt, se propage maintenant à l'intérieur de ses cuisses. Elle la sent, chaude et voluptueuse, se répandre dans tout son être. Sensation enivrante et inquiétante à la fois…

***

Quelques jours à peine se sont écoulés quand Minie recommence à fouiller les placards de la maison, à la recherche de chaussures décousues ou montrant des signes d'usure quelconques. Sa mère trouve suspecte cette préoccupation soudaine pour l'état des chaussures de la famille :

— Dis donc, Minie, qu'est-ce qui t'prend d'courir chez l'cordonnier à tout bout d'champ comme ça?

La « grande Hermine » — un surnom qui la distingue de sa fille — pose la question en plongeant ses yeux dans ceux de Minie. La dérobade est impossible et le trouble de la fille confirme les soupçons de la mère.

— Ben, attends donc que j'raconte ça à ton père quand y' va rentrer! Chus pas sûre que ça lui plaise ben ben, l'idée d'avoir un cordonnier comme gendre!

Minie est atterrée. Force lui est de reconnaître une grande attirance pour cet homme chaleureux et simple, avec qui elle trouve faciles des gestes qu'elle ne se permettrait jamais avec d'autres. Mais, à seize ans, peut-elle affronter ses parents? Est-il possible, à cet âge, de se déclarer libre de ses agissements? Il ne lui reste que la persuasion. Elle sait son père sensible au charme de « sa princesse »; elle tâchera d'exploiter sa vulnérabilité…

La grande Hermine profite du départ des garçons, à la fin du repas, pour retenir Minie à table et amorcer la discussion avec son mari.

— Tâphile, j'ai des p'tites nouvelles pour toé.

— Ah oui! Lesquelles?

— V'là t'y' pas qu'ta fille s'est amourachée du cordonnier! A'é t'en train de lui porter toutes les chaussures d'la maisonnée. Même tes vieilles bottes hautes, celles que tu t'apprêtais à j'ter, y ont passé! Apparence qu'va falloir qu'tu y' parles!

— Ah ben baptême! Comme ça, c'est vrai! J'étais à' forge aujourd'hui, pis ça commençait à s'parler. J'leur ai dit qu'c'était tout' des racontars, pis j'le pensais aussi. Y' en a ben des racontars su' l'cordonnier! C'est pas un bonhomme ordinaire. Mais si y' a du vrai là-d'dans, Minie, va falloir qu'on t'parle, « la Noèr » pis moé.

Théophile a surnommé sa femme ainsi à cause de la couleur de ses cheveux. Certains villageois prétendent qu'elle a du sang amérindien, ce qui ne le préoccupe guère plus qu'autrefois. Il repousse son assiette, de façon à pouvoir s'accouder sur la table et, ainsi, se rapprocher de sa fille.

— Minie, tu vas m'arrêter ça tout d'suite! Un cordonnier… Pis bossu par-dessus l'marché! À part ça qu'y' est trop vieux pour toé. Y' en est pas question! La fille à Tâphile Lareau peut prétendre à mieux qu'ça!

— Mais, papa, attends que j't'explique…

— Y' a pas d'explication! T'arrêtes ça, un point, c'est tout!

— C'est un métier honnête, et c'est un homme gentil…

— Tais-toé! J'ai dit : fini, c'est fini!

— Mais je l'aime, papa!

L'aveu surprend tellement Minie qu'elle place spontanément la main sur sa bouche, comme pour s'assurer que rien d'autre n'en sortira. C'est une déclaration qu'elle ne s'est même pas faite à elle-même! Elle en est pétrifiée.

— Quoi! Tu l'aimes? Pour commencer, qu'est-ce que tu connais à l'amour, hein? Peux-tu ben me l'dire? C'est encore plus grave que j'pensais.

Du revers de la main, Théophile balaie rageusement les miettes de pain sur la nappe.

— J'ai pas l'goût d'êt' la risée de tout l'village ben longtemps, pis j'ai pas l'goût qu'tu fasses ton malheur non plus! J'ai dit c'est fini, c'est fini! Pis qu'j'en entend' pus parler! Si jamais j'entends dire que t'es r'tournée à sa boutique, j'vas… j'vas… Je l'sais pas c'que j'vas t'faire, mais ça va être effrayant! T'es mieux d'pas prendre de chance. T'as ben compris là?

Théophile fait pivoter sa chaise et s'occupe à bourrer sa pipe. Il poursuit :

— À part ça, y' a que'qu'chose que t'es mieux d'apprendre tout d'suite. Méfie-toé des beaux parleurs. C'est pas eux autres qui font les meilleurs maris. T'es mieux d'choisir un bon garçon qui va t'respecter, même si tu l'trouves pas ben ben parlant. Ça fait des maris plus fiables que les autres. C'est ben beau d's'entendre dire des mots d'amour par quelqu'un qu'y' a la bouche en cœur, mais la vie, ça s'passe pas rien qu'dans' tête. Ça s'passe surtout pas dans' tête! Ça demande des bons bras pis du cœur à l'ouvrage. Prends-en ma parole! C'est rare que les beaux parleurs sont aussi des bons travaillants.

La Noire, qui a suspendu sa besogne, écoute attentivement l'intervention de son mari. Droite, près du poêle, les bras croisés, elle ponctue de la tête les exclamations de son homme et l'approuve du regard. Minie, les yeux embués, les regarde tous les deux tour à tour, incrédule devant la sévérité inhabituelle de ses parents. Elle entend la mise en garde de son père sans l'écouter vraiment. Sa tête vacille. Elle a l'impression qu'elle va s'effondrer, si elle reste là. La mort dans l'âme, désespérée, elle monte à sa chambre et se jette sur son lit, en sanglots. Elle connaît son premier chagrin d'amour et découvre le sens du mot « préjugé ».

ᴄ⁄ᴐ

Dans la solitude de sa chambre d'hôpital, Minie la moribonde se rappelle à quel point l'amitié de Béatrice Quintal lui avait été précieuse en cette période difficile. Non seulement s'était-elle confiée à elle et en avait-elle retiré un grand réconfort, mais Béatrice avait accepté de porter à Moïse un billet. Un billet dans lequel Minie lui demandait de l'oublier, suite à l'interdit irrévocable de ses parents. Elle l'assurait de son souvenir impérissable et lui disait : « adieu ».

2

BÉATRICE et Minie sont inséparables, marchant ensemble
le matin vers le couvent et en revenant le soir. Elles sont
d'ailleurs dans la même classe, au couvent des Sœurs de Saint-
Joseph de Saint-Hyacinthe. Leur amitié remonte à l'emména-
gement de la famille au village, rue du Dépôt. Le fait d'être
voisines a contribué à cette alliance, que Minie trouve d'autant
plus précieuse qu'elle ne s'entend pas bien avec Émérentienne,
son unique sœur, de onze ans son aînée. Quant à ses deux
frères, Cyrille et Joseph, autant ne pas y penser; ils ne la prennent jamais au sérieux et ne cessent de la taquiner à tout
propos. Elle ne les trouve pas drôles. Cette amitié comporte
un autre avantage : grâce à Théodore, l'oncle de Béatrice qui
habite le rang Saint-Édouard, elle est toujours au fait des dernières nouvelles concernant le grand Charles.

Depuis cette blessure d'amour-propre éprouvée à onze
ans, Minie s'est tenue à distance des « itinérances » de
Charles, bien qu'elle ait entretenu, à son sujet, une curiosité
que seul l'épisode de Moïse a évacuée. C'est ainsi que l'été
suivant, elle apprend l'installation de Charles à Boston. Il a
trouvé de l'emploi dans une fabrique d'horloges de l'endroit, grâce à l'un de ses demi-frères, tisserand dans une
« fact'rie d'coton » de la Nouvelle-Angleterre.

Mais voici qu'au printemps de l'année 1910 :

– Madame Lareau, madame Lareau, est-ce que Minie
est là?

C'est Béatrice qui entre en trombe dans la maison des Lareau. Minie l'entend de sa chambre, à l'étage. Elle court à la tête de l'escalier.

— Oui, j'suis là, monte!

Béatrice grimpe l'escalier deux marches à la fois.

— Hé! tu sais pas la nouvelle?

— Quelle nouvelle? Qu'est-ce que t'as à être tout excitée comme ça, donc? Prends l'temps d'respirer… Viens t'asseoir sur mon lit.

— (Ouf!) Mon père est allé faire un tour chez mon onc' Tâdore, dans l'rang, pis y' a appris que l'grand Charles s'en vient en visite, la s'maine prochaine…

— Ah oui? Quel jour qu'y' arrive? Y' va passer combien d'temps?

— Y' est supposé arriver dimanche, par le train. Pour combien de temps, je l'sais pas, mais si y' vient d'Boston pis qu'y' y r'tourne après, y' va sûrement passer plus qu'une coup' de jours ici, tu penses pas?

— Oui… c'est certain…

Minie enregistre la nouvelle et tente de réfléchir rapidement, la lèvre inférieure fortement pincée, tout en suivant de son index les formes géométriques de sa courtepointe. Elle constate, un peu surprise, à quel point cette information ravive en elle le souvenir de Charles.

— C'est quoi que t'as envie d'faire, Minie?

Béatrice éprouve beaucoup d'admiration pour son amie, la considérant plus intelligente et plus belle qu'elle-même. La pauvre Béatrice, en effet, se désole de sa grandeur et de sa minceur. Au couvent, on la surnomme « l'échalote ». Elle a pourtant de jolis traits, mais ne semble pas s'en rendre compte. Impatiente de voir ce que Minie fera du renseignement, Béatrice tortille ses nattes de la main droite, tout en gardant les yeux fixés sur Minie.

— Ah! j'sais pas… C'est sûr que j'haïrais pas ça y' voir la binette. Ça fait trois ans que j'l'ai pas vu.

Cette nouvelle, Minie la juge intéressante, mais elle reste songeuse. Depuis sa peine d'amour avec Moïse, plusieurs prétendants ont cherché à la courtiser, mais aucun ne lui a semblé digne d'intérêt. Son avenir sentimental lui paraît de plus en plus compliqué, incertain. De tous les soupirants qui ont tenté leur chance, les plus drôles ont été les frères Brodeur, Arthur et Cléophas. Les deux s'étaient mis d'accord pour présenter leurs hommages conjointement. Sans doute ce stratagème leur donnait-il meilleure contenance. Demander aux parents d'une jeune fille la permission de la « visiter » et se diriger vers sa résidence, au vu et au su de tout le village, exigent pas mal de cran. Surtout quand il s'agit de la fille de Théophile Lareau, le rentier ! Les deux frères étaient donc venus « veiller », comme ça, cinq samedis soir d'affilée. À la fin du cinquième, au moment de prendre congé, ils tentèrent le grand coup :

— Mam'zelle Minie, Clâphas pis moé, ça fait cinq samedis qu'on vient veiller pis on s'est dit qu'la semaine prochaine, y' en aurait rien qu'un qui viendrait…

— Oui, on s'est dit ça…

— Ça fait qu'on vous d'mande de décider… Lequel que vous voulez qu'y' r'vienne ?

— Oui… lequel que vous voulez ?

Minie les regarda successivement, médusée par cette proposition, et pouffa d'un rire si franc et sonore que même soixante ans plus tard, dans son lit d'hôpital, elle l'entend encore résonner à ses oreilles. Les frères Brodeur devaient aussi s'en souvenir, car ce fut leur dernière visite.

De même se souvient-elle encore que la nouvelle annonçant la visite du grand Charles l'avait laissée fort perplexe…

— Qu'est-ce que tu vas faire, Minie ?

— J'sais pas encore, donne-moi l'temps d'y penser…

— Ben, t'es pas pour laisser passer l'occasion ! Avec tout' c'que tu m'as dit sur lui, y' m'semble qu'y' faut qu't'en voy' le bout !

— C'est vrai, c'est pas facile. À vrai dire, j'sais pas quoi faire. Eh ! que c'est compliqué ces affaires-là !

Le lendemain, profitant du trajet vers le couvent, Minie revient sur le sujet.

— Tu sais, Béatrice, autant j'ai l'goût de l'voir, le grand Charles, autant j'veux pas avoir l'air d'y courir après. Y' faudrait qu'on s'rencontre par hasard, ou chez quelqu'un qu'on connaît. Mais comment faire ? J'peux tout d'même pas m'présenter chez sa mère pis lui dire : « J'viens voir Charles ! »

— Ben non, c'est sûr...

— ...

— Qu'est-ce que tu dirais si on allait tout simplement à la partie de balle-molle, dimanche après-midi ? Y' a des grosses chances qu'y' soit là. Tu t'souviens qu'y' était pas manchot' au bâton, pis qu'y' a toujours aimé ça jouer sa partie, quand y' était d'passage ?

— Aïe ! c'est vrai ça ! T'as une bonne idée. On fait ça ! Ah ! que j't'aime Béatrice !

Et Minie de s'arrêter aussitôt pour étreindre son amie et lui plaquer un gros baiser sur chaque joue, en guise de remerciement.

∽

Le dimanche suivant, les Inséparables se dirigent, comme la moitié du village d'ailleurs, vers le terrain municipal, situé en retrait de la rue du Dépôt.

Minie a particulièrement soigné sa tenue. Sa mère l'a d'ailleurs remarqué, mais elle en devine la cause, n'ayant pu s'empêcher d'entendre la conversation des deux amies. Elle préfère s'abstenir de tout commentaire. La perspective de voir cette relation s'établir lui plaît assez. On dit de Charles qu'il gagne de grosses gages à Boston et qu'il aura sans doute, éventuellement, le capital nécessaire pour ouvrir un commerce. Saint-Liboire est un village trop petit pour faire vivre un horloger-bijoutier, mais Saint-Hyacinthe n'est qu'à trois lieues. C'est donc avec une certaine nervosité et beaucoup de fierté que la mère souhaite une bonne promenade aux Inséparables. « Tâchez d'vous amuser, là ! » leur lance-t-elle, pour finir. Elle regarde Minie s'éloigner. Ses dix-huit ans en ont fait une femme radieuse. Elle ne passe pas inaperçue. On sait, au village, que Théophile Lareau, le rentier, n'accordera pas la main de sa fille à n'importe qui.

Les hommes et les femmes endimanchés commencent à occuper les bancs de bois, placés en retrait de la ligne des buts, de chaque côté du marbre. Béatrice suggère de s'asseoir pendant qu'il y a encore des places libres, mais Minie préfère garder sa liberté de mouvement. Elles vont et viennent ainsi, parmi les badauds, pendant que les deux équipes se réchauffent. Les jeunes hommes du village qui les saluent, au passage, doivent penser que Minie est de mauvais poil car elle leur répond à peine et surveille nerveusement l'arrivée des amateurs. Soudain, Minie tire Béatrice par le coude et lui murmure : « Le v'là ! » Béatrice, à son tour, aperçoit Charles qui, accompagné de son frère Romain, fait son entrée sur le terrain. Quelques joueurs aussi les reconnaissent :

— Ah ben ! R'gard' donc qui'ss que Romain nous amène ! Si c'est pas l'grand Charles !

— Salut, Charles ! Depuis l'temps !

On l'entoure, on prend de ses nouvelles. Minie, qui observe la scène à distance, lui trouve fière allure. Il porte des vêtements de bonne coupe, à la dernière mode. Ça lui plaît assez. Mais elle lui trouve un air guindé, comme s'il n'était pas tout à fait à l'aise avec lui-même. Elle met ça sur le compte d'avoir à refaire connaissance avec tout le monde, vu l'espacement de ses visites.

C'est alors que le capitaine d'une des deux équipes avance une idée qu'il qualifie lui-même de brillante :

— Pourquoi qu't'embarques pas avec nous aut', Charles ? Y' nous manque justement un homme.

— Envoy', Charles, on a besoin d'un bon homme !

— Ben écoutez, j'suis pas habillé pour ça.

— C'est pas grave. On t'jett'ras pas à terre, on l'promet, ha ! ha ! ha !

— À part ça, ça fait une secousse que j'ai pas joué.

— On est pas inquiet' pour toé.

— Envoy' donc !

Les joueurs lui donnent des bourrades dans les côtes et le bousculent un peu, manière de le convaincre de la sincérité de leur invitation.

— Correct d'abord !

— Hourra !

Charles retire son gilet, sa veste, sa cravate et retrousse ses manches de chemise. On lui passe d'autres chaussures et la partie commence. On assigne à Charles le poste d'arrêt-court et, avec son équipe, il prend position au champ. Minie et Béatrice se sont placées derrière le banc des spectateurs, entre le marbre et le premier but.

Durant la première moitié de la première manche, il ne se passe rien de particulier. Minie feint de ne pas reconnaître Charles qui, de toute façon, ne l'a pas remarquée. Puis c'est à l'équipe de Charles d'aller au bâton.

Lorsqu'il s'amène à son tour, il y a deux hommes de retirés et deux autres sont sur les buts. La tension est forte pour le visiteur. Il est gratifié d'une première balle, puis laisse passer une prise. Quand le troisième lancer arrive, Charles décoche un rapide moulinet et frappe la balle, mais à un angle défectueux. Elle fait une courte chandelle à l'extérieur de la ligne du premier but, se dirigeant droit vers Minie. Celle-ci a suivi la trajectoire de la balle. Instinctivement, elle lève les bras, ouvre les mains et, à sa grande surprise, attrape la balle sans difficulté. Les spectateurs s'esclaffent et l'applaudissent à tout rompre pendant qu'elle la retient, ne sachant trop qu'en faire. Mais, reprenant ses esprits, elle se dirige résolument vers le marbre pour la remettre en main propre à Charles. Plus elle s'approche de lui, plus son assurance augmente, et c'est avec un sourire un tantinet malin qu'elle la lui offre.

Charles a un sursaut et sa bouche tressaille :

— Mais c'est mademoiselle Herminie Lareau, sauf erreur !

— Il n'y a pas d'erreur, Charles Beauregard, et j'espère que vous n'en commettrez plus non plus !

— …

Il reste interdit. Se ressaisissant :

– On s'revoit après la partie?

Elle acquiesce de la tête en virevoltant, la démarche légère, et le jeu reprend. La victoire de l'équipe est scellée par un coup de circuit du grand Charles, alors qu'il y a un homme sur les buts. C'est avec une fierté évidente qu'il renfile veste, gilet et chaussures, sous les acclamations de ses compagnons. Il rattrape Minie et Béatrice dans la foule, y oubliant Romain. Le trio emprunte la rue du Dépôt, échange des banalités d'usage sur le déroulement de la partie, puis :

– Êtes-vous par ici pour longtemps, Charles?

– Je repars dimanche prochain. Il faut que je sois à Boston mardi matin.

– Ah! C'est pas long…

– …

– J'aimerais ça que vous me parliez de Boston, de ce que vous y faites.

– …

– Ça vous l'dirait de venir jaser à la maison, dans le courant de la semaine? J'm'occupe d'en parler à mes parents. Y' vont être d'accord.

– Oui… Oui, ben sûr!

– Quel soir qui vous conviendrait?

– Ben… mardi… Mardi, ça vous va?

– Oui, c'est bon.

Ils sont arrivés devant la maison. Elle lui tend le revers de sa main droite, avec une attitude un peu blasée, comme elle a vu la noblesse le faire sur les gravures, à l'époque du baisemain. Il la prend nerveusement dans les siennes et, ne sachant qu'en faire, la secoue, tout en lui disant : « À mardi… ». Minie constate que les mains de Charles sont moites et froides. Elle met ça sur le compte de l'effet qu'elle lui cause et s'en trouve flattée.

Les parents ne font aucun obstacle à l'initiative de leur fille. Bien au contraire. Ils lui suggèrent même d'inviter Charles à souper.

– De toute façon, y' est en visite, y' a pas aut' chose à faire. Aussi ben en profiter, ma fille; y' r'part dimanche!

Décidément, maman préfère les horlogers aux cordonniers, se dit Minie. Elle accepte tout de même la proposition et, bras dessus, bras dessous avec Béatrice, se rend transmettre l'invitation à Charles. Il y a bien trois milles, aller et retour par la voie ferrée, entre sa résidence et celle des Beauregard. Mais la soirée est si belle, et le soleil ne semble pas plus pressé de se coucher qu'elles-mêmes…

༄

Le mardi, à cinq heures tapant, comme prévu, Charles se présente chez les Lareau. Minie aide sa mère à préparer le repas et le prétendant est invité à passer à la cuisine.

— J'dois vous avouer, Charles, que j'trouve Minie ben commode pour m'aider avec l'ordinaire. Si je l'avais pas, j'sais pas c'que j'f'rais. Elle est ben d'adon.

Minie rougit et la pomme de terre qu'elle est à peler lui glisse des mains, mais elle ne dit mot. Les mères sont toutes portées à exagérer les qualités de leurs filles. Elle le sait, sans pouvoir y changer quoi que ce soit.

— Je vous crois facilement, madame Lareau. Je vous dirais même que j'ai été surpris de constater à quel point ma petite voisine du rang Saint-Édouard était devenue une belle dame. À part ça qu'elle sait comment attraper une balle !

Charles et Minie échangent un regard complice.

Théophile arrive avec son fils Cyrille, de huit ans l'aîné de Minie. Tous s'installent autour de la table pendant que les mets préparés par les deux femmes sont placés au centre. La conversation, habilement orientée par la Noire, tourne vers Boston, quel genre de ville elle est devenue, si elle a beaucoup changé… Ce coin des « États » ne leur est pas étranger. Théophile aimait si peu cultiver la terre qu'une vingtaine d'années plus tôt, à l'instar de nombreux compatriotes, il avait émigré en Nouvelle-Angleterre pour y tenter fortune comme tisserand. Il s'était installé à Thorndyke, au Massassuchetts, où d'ailleurs Minie est née. Un an après cette naissance, Théophile, pris du mal du pays, prit la décision de rapatrier sa famille. Seul Camille, l'aîné, avait préféré rester aux USA.

Charles finirait-il par céder à la même tentation? Comment savoir...

— Pensez-vous demeurer là-bas ben longtemps, Charles? Minie est tout ouïe.

— Non. J'aimerais revenir au Canada. Ça va peut-être devenir possible au début de l'hiver. J'ai fait des démarches pour me trouver quelque chose à Montréal.

« Ah! » fait Minie, qui a dressé une oreille sympathique lorsque Charles évoque l'hypothèse de son retour au Canada, mais qui trouve plus inquiétant le fait que ce retour se fasse vers Montréal.

— C'est vrai qu'y' a des ben belles femmes à Montréal!

Cyrille, narquois, a lancé cette boutade qui déclenche chez Théophile un bon rire gras. Minie foudroie les deux hommes du regard, et Charles s'empresse de faire une mise au point:

— Ah! c'est pas pour ça.

Il tente de retrouver le regard de Minie pour la rassurer. Plus ça va, plus elle sent qu'elle exerce sur lui une attraction certaine. Pourtant il ne semble pas à l'aise avec les femmes. Tout ce temps dans un orphelinat y est peut-être pour quelque chose, pense-t-elle.

Le repas s'achève dans les faits divers. Puis, la Noire suggère au jeune couple de passer au salon et Cyrille est mis en demeure de les laisser tranquilles. De l'évier de la cuisine où elle s'affaire, la Noire a une vue discrète mais suffisante sur le coin du canapé.

— Pourquoi parlez-vous de vous installer à Montréal, Charles?

— Ben, avec le métier que j'ai, j'peux pas travailler n'importe où. À Saint-Hyacinthe, y' a des boutiques de bijouterie, mais y' engagent pas. Les propriétaires se débrouillent eux-aut' mêmes avec les réparations à faire.

— J'pensais que ça deviendrait plus facile de s'voir, mais comme c'est là...

— J'vous avoue que moi aussi, j'aurais aimé ça qu'on r'fasse connaissance. Pour le moment, il faut que je r'tourne à Boston, ça c'est clair. Pour la suite, ça restera à voir.

— On pourrait peut-être s'écrire en attendant ?

— Ah ! ça, j'aimerais ben, mais c'est pas mon fort !

— Quand même, j'me fiche pas mal qu'y' ait des fautes dans vos lettres. L'important, c'est d'avoir de vos nouvelles. Vous pourriez me raconter vos journées, c'que vous faites, pis moi, j'f'rais de même.

— On peut ben essayer…

— Bon ! J'vais commencer la première. Vous allez voir, ça va être facile.

— J'aimerais ça…

— Oui, Charles ?

— … vous entendre jouer du piano, Herminie !

— Ben voyons, arrêtez de m'appeler Herminie ! Vous pouvez m'appeler Minie, comme tout l'monde, pis comme avant.

La soirée se termine donc par un récital de piano, alors que Minie sort ses revues musicales *Le Passe-Temps* et chante quelques chansons, en s'accompagnant elle-même. Toutes les pièces à la mode y passent. Minie ajoute même, pour ne pas rater son effet, les *Variations sur le Carnaval de Venise*, une pièce de virtuosité où elle brille particulièrement. Pendant cette prestation, Charles, posté à l'extrémité du piano, observe cette ancienne petite voisine, devenue une femme belle, attrayante, désirable…

À neuf heures, Romain vient cueillir Charles dans une victoria attelée du plus beau cheval des Beauregard. « Une belle bête », affirme Théophile qui, après lui avoir caressé le nez, lui écarte les babines pour vérifier l'état de sa dentition et évaluer son âge. Théophile a toujours eu du flair pour apprécier la qualité des chevaux et pour établir un rapport avec eux. Ce don en a rapidement fait l'un des meilleurs maquignons du comté. Ça lui procure un revenu intéressant et occupe sa retraite, lui qui n'est pas homme à se bercer à longueur de journée, les pieds posés sur la « bavette » du poêle. « Une bien belle bête », affirme-t-il de nouveau, tandis que les amoureux en devenir promettent de se revoir avant le départ de Charles.

Devant Théophile et la Noire réunis sur le perron, ils s'embrassent des yeux dans le rose du couchant et se font des saluts de la main, jusqu'à ce que la victoria tourne le coin de la rue.

&

Laborieux, les premiers échanges de lettres, se rappelle Minie. Charles ne se révèle pas beaucoup ; il en reste aux faits divers. Elle ne tarde pas à s'interroger et, tout autant, sur ce qui lui paraît être sa propre ambivalence. Certes, elle ressent une certaine attirance pour lui, éprouve une fierté légitime d'avoir « accroché » ce jeune homme, reluqué par plusieurs candidates de son âge. Mais tout ce qu'une jeune fille devrait savoir concernant la recherche d'un futur mari, les fréquentations, les réalités du mariage et les « devoirs » de l'épouse, lui est totalement inconnu. Elle se sent, en vérité, très peu instruite des choses de la vie ; le sujet semble tabou. Sa mère n'a encore jamais abordé ces questions avec elle, sauf pour l'informer de l'essentiel avec l'apparition de ses règles. Minie se rappelle être restée sur sa faim, à ce moment-là, la conversation ayant été close abruptement par la Noire : « De toute façon, ma fille, quand tu f'ras ta confession d'mariage, le prêtre va t'dire exactement c'que tu dois faire, pis pas faire. Y' é trop tôt pour en parler ! »

Cette attitude est généralisée autour d'elle ; les confidences que les adolescentes s'échangent le confirment bien. Ainsi, ce n'est qu'une fois devenue nubile qu'elle apprend le sens d'une expression courante qui sert de code pudique aux adultes : *bzzzt !* Une convention utile, quand une personne veut en informer une autre qu'une femme de leur connaissance est enceinte : « Savais-tu qu'Albertine était *bzzzt* ? ». Et le message était clairement reçu, non sans piquer quelquefois la curiosité des enfants. Or Minie n'est plus une enfant. Aussi se décide-t-elle, un bon matin, à aborder le sujet avec sa mère, alors que celle-ci est à faire le repassage :

— Maman, j'suis ben embêtée à propos d'Charles. J'sais pas si j'dois l'pousser plus vite ou arrêter ça là. J'sais pas si je l'aime, ou si je l'aime pas tant qu'ça. En fait', maman, qu'est-ce qu'y' faut faire ?

— …

— Tiens, par exemple, toi, maman, comment ça s'est passé avec papa? Comment est-ce que vous en êtes venus à vous marier? Tu me l'as jamais raconté.

— C'est une bonne question qu'tu m'poses là, ma fille.

La grande Hermine se dirige vers le poêle pour échanger son fer refroidi contre un plus chaud, ce qui lui permet de préparer sa réponse :

— J'me souviens pas qu'ça ay' été ben compliqué. J'avais dix-sept ans quand on s'est rencontrés, à une veillée dans l'rang. Y' était v'nu me d'mander pour être sa compagnie dans un *set*. Après avoir dansé, on a jasé. Je l'trouvais fin. Y' m'a d'mandé si y' pouvait d'mander permission de m'visiter. J'ai dit oui. Y' est v'nu veiller tous les samedis soir. On jasait de tout' sortes d'affaires. L'printemps suivant, y' s'est am'né un bon jour, y' a filé direct à l'étable, où mon père était en train d'tirer les vaches, pis y' y'a d'mandé ma main…

— Quoi? Y' te l'avait pas demandé avant?

— Non. Qu'ossé qu'ça aurait donné? C'est pas moi qui aurait pu décider! Non. Y' sont entrés tous les deux dans la maison, mon père m'a d'mandé c'que j'en pensais, j'y' ai dit qu'j'étais ben d'accord. À l'été, on s'mariait.

— Mais maman, comment qu'tu pouvais être sûre que c'était l'bon? Comment qu'tu pouvais être sûre que tu l'aimais?

— Ah! ben ça, ma fille, c'est une aut' histoire. L'amour qui vient d'un coup sec, c'est pas toujours le meilleur! J'en ai connu des têtes de linotte qui s'pâmaient pour des beaux gars, pour s'apercevoir, après, qu'y' avaient rien dans l'ventre. Ton père pis moé, on a appris à s'connaître après s'être mariés. On a appris à s'apprécier, à s'respecter pis, p'tit à p'tit, à s'faire confiance. J'sais pas si c'est à ça qu'tu penses quand tu parles d'amour, mais tout c'que j'peux t'dire, c'est qu'ton père pis moé, on a toujours été ben là-d'dans.

— Ouais… j'suis pas sûre que ça m'avance ben ben… J'sais pas comment te dire ça maman, mais… pis fâche-toi pas là… mais… quand Moïse me parlait, pis surtout quand y' m'touchait, ça m'donnait tout' sort' de sensations que j'sens pas avec Charles. J'avais des montées d'chaleur, j'me sentais transportée ailleurs… c'était… J'sais pas comment l'dire… J'aimerais ça que Charles me fasse le même effet…

Sa mère, du coup, la regarde avec stupeur. Elle vient se planter devant elle, les deux poings sur les hanches :

— C'que tu m'racontes là, ma fille, j'me d'mand' si tu devrais pas t'en confesser!

— …

— Ben écoute, ça m'a l'air pas mal proche du plaisir défendu. Quand on s'sent comme ça, ma fille, on est à' veille de faire des cochonn'ries. C'est ça qu'on appelle « entrer en tentation »! Pis ça ma fille, quand on prend plaisir à ça, c'est déjà péché! As-tu envie d'aller en enfer? Fais ben attention à toé, ma fille. Si jamais tu t'laisses aller à ça, celui qui aura réussi va s'en vanter à tout l'monde, pis tu vas passer pour une bonne à rien. Y' aura pus un bon garçon qui voudra d'toé après.

La Noire est visiblement émue et survoltée. Sa voix a pris de l'ampleur et trahit sa nervosité. Elle retourne à sa planche à repasser, l'air d'une automate. Minie reste sceptique ; elle sent bien que sa mère n'est pas en mesure d'élaborer utilement. Elle choisit de garder le silence. Au bout d'un moment, la grande Hermine reprend :

— C'est justement une qualité de Charles que j'estime ben gros, la réserve. C'est un garçon qui oserait jamais tenter une fille. C'est important ça, ma fille. Pis y' a l'air d'un bon travaillant. Y' a pas été chanceux dans la vie mais y' m'a l'air parti pour r'monter la côte. Y' vient d'une bonne famille de par icitte. Qu'est-ce que tu veux d'plus? Qu'est-c'que t'as tant qu'ça à lui r'procher?

— C'est ça l'problème, maman. J'ai rien à lui reprocher, mais y' a rien qui m'attire ben gros non plus.

Minie s'affale sur la table de cuisine, le menton au creuz du coude, perplexe. La Noire, après quelques coups de fer bien appliqués, a repris son calme.

— J'voudrais pas avoir l'air de t'pousser dans l'dos, Minie, mais tu viens d'avoir dix-neuf ans. Y' m'semble que tu devrais y penser à deux fois avant de r'fuser un bon parti.

À part ça, dis pas à ton père que j't'en ai parlé, mais y' peut te donner une dot qui vous aiderait pas mal à vous installer. Y' a déjà été question de mille piastres entre lui pis moé. Ça pourrait t'aider à convaincre Charles de s'grouiller un peu…

Cette dernière confidence ébranle l'ambivalence de Minie. Elle sort de la cuisine, songeuse, mais un peu plus, sinon mieux outillée… Elle monte à sa chambre, s'allonge sur son lit et, les yeux perdus dans les interstices du plafond, repasse les propos de sa mère en essayant d'y voir clair. La Noire ne l'a pas vraiment convaincue qu'elle s'était exposée à de graves périls dans les bras de Moïse. C'était si bon, si envoûtant, tellement naturel, que ça ne pouvait pas vraiment être mal. Il lui semblait plutôt que le mal, le vrai mal, devait découler de mauvaises intentions, d'un projet perfide comme nuire à quelqu'un, se venger, haïr son prochain. S'apprêter à commettre le mal devait aussi inspirer, sur-le-champ, une crainte, un sentiment de culpabilité, de dégoût peut-être. Elle n'avait éprouvé rien de cela dans les bras de Moïse, bien au contraire. Mais comment être sûre de son point de vue? Comment savoir si cette absence de remords n'était pas suspecte, après tout?

Elle repense à Charles, interroge l'ambivalence qu'elle éprouve à son endroit. À défaut d'être certaine de ses sentiments, elle le compare, dans sa tête, à tous les jeunes hommes à marier de son milieu. Décidément, il a plus à offrir qu'aucun de ceux-là. Quel intérêt aurait-elle à attendre un prince charmant qui n'existe pas, dans la paroisse? Aussi, le soir même, derrière la porte close de sa chambre, elle met la main à la plume et la plume au papier…

Saint-Liboire, le 11 octobre 1910

Cher Charles,

J'ai reçu votre lettre hier. Je suis contente d'apprendre que vous avez guéri votre rhume de cerveau. Ça ne devait pas être facile de travailler dans les horloges, arrangé comme ça.

Ici, tout va comme à l'accoutumée. La semaine dernière, j'ai travaillé deux jours chez Mlle DeGrandpré, la modiste qui a sa boutique juste à côté de la boucherie. Elle m'a dit que j'avais du talent pour les chapeaux. J'espère bien qu'elle va me demander encore. Ça me permettrait de faire des économies en vue de me monter un trousseau… Je sais bien que c'est pas absolument nécessaire, avec la dot que mon père va me donner en me mariant, mais une fille a droit à sa fierté, pas vrai?

Je repensais à ce que vous me disiez à propos de Montréal. Pour être bien franche avec vous, plus j'y pense, plus j'aimerais ça vivre là. Il me semble que ça doit être plus excitant qu'à Saint-Hyacinthe.

Ça fait que si vous avez des projets de ce côté-là, j'aimerais ça vous entendre en parler.

J'ai hâte d'avoir de vos nouvelles et surtout de vous revoir.

Votre Minie qui pense de plus en plus à vous…

Elle s'apprête à cacheter l'enveloppe lorsqu'elle se ravise, jugeant plus prudent de la faire lire à Béatrice, le lendemain. Et puis, la nuit porte conseil…

Pourtant, cette nuit-là, les rêves de Minie sont remplis de belles robes blanches à traîne, toutes plus extravagantes les unes que les autres, et d'une quantité innombrable de gerbes de fleurs. Il y a aussi des enfants de chœur, en surplis frais repassés et le curé Chaffers, les joues toutes roses de plaisir, comme à chaque fois qu'il célèbre un mariage. Des rêves où retentissent à plein les accords de l'orgue paroissial…

Le lendemain, elle se rend chez Béatrice, la lettre à la main. C'est un déplacement dicté par la prudence : elle ne veut pas que sa mère surprenne leur conversation. Elle sait Béatrice plus discrète, ou, à tout le moins, plus détachée.

– Pis, qu'est-ce que t'en penses?

Béatrice replie soigneusement la lettre et réfléchit.

— Tu y vas pas d'main morte !

— Qu'est-ce que tu veux dire ?

— Ben… te rends-tu compte que si l'grand Charles embarque, pis qu'y' t'propose le mariage, t'as quasiment pas l'choix que d'accepter ?

— Je l'sais. Me prends-tu pour une folle ? Y' est temps qu'y' s'grouille ! C'est ça que j'voulais vérifier, en t'montrant la lettre. J'suis ben contente. Ta réaction prouve que j'ai écrit juste c'qu'y' fallait. J'la malle tout d'suite.

Béatrice n'est pas rassurée :

— Mais qu'est-ce qui t'a fait changer d'idée si vite ? Hier encore, t'étais quasiment prête à l'laisser tomber !

— C'est vrai, mais j'ai réfléchi.

Et Minie rapporte à son amie les propos de sa mère, en atténuant quelque peu « l'entrée en tentation ».

☙

La réponse de Charles ne se fait pas attendre. Minie trouve cette réponse intelligente : il mord à l'hameçon, mais avec suffisamment de tact pour ne pas passer pour un coureur de dot. Charles annonce à Minie sa visite pour les Fêtes et il espère *que ce sera l'occasion d'un grand tournant dans leurs fréquentations*. Minie trouve l'expression « fréquentations » un peu forte, dans les circonstances, mais peu lui importe.

Alors que la date de son arrivée approche, Minie convainc ses parents de lui offrir l'hébergement. Cet arrangement lui permettrait de mieux connaître Charles, ce que la correspondance n'a pas favorisé, ajoute-t-elle. Comme argument concluant, elle leur rappelle que la mère de Charles habite maintenant chez sa fille, à Upton.

— Et puis on sait jamais, papa, y' aura peut-être une demande à te faire…

— J'ai rien d'contre, Minie, rien d'contre pantoute.

Et le père et la fille d'échanger un clin d'œil complice, sous le regard rassuré de la grande Hermine.

Charles arrive le 18 décembre, par le train. Il transporte avec lui deux grosses valises : tout son bien. Minie avait demandé à Cyrille de l'accompagner à la gare, mais la Noire a insisté pour être aussi de l'accueil, si bien que la berline déborde de passagers et de bagages. Bien que la distance entre la gare et la résidence des Lareau soit courte, Charles a le temps d'expliquer sommairement les faits survenus depuis sa dernière lettre. Il a accepté l'offre d'une maison de Montréal, qui lui proposait un emploi de commis-voyageur dans l'Ouest canadien. Au fur et à mesure qu'il donne ses explications, Charles constate la détresse croissante de Minie. Il s'y attendait; aussi ajoute-t-il que pour lui, ce n'est qu'un emploi provisoire. Une fois dans le milieu, il pourra plus facilement se réorienter vers d'autres entreprises de Montréal. Minie doit se contenter de ronger son frein : on arrive à la maison.

Peu après, la grande Hermine a installé Charles et celui-ci rejoint Minie qui, pour se défouler, martèle au piano une marche de John Philip Souza.

— Après autant d'heures dans l'train, j'aurais besoin de me dégourdir les jambes, risque-t-il. Que diriez-vous, Minie, d'une promenade dans le village ?

Elle acquiesce d'un signe de tête tout en poursuivant son interprétation, ayant compris que Charles veut reprendre la conversation amorcée au retour de la gare.

Avec tuques et foulards pour se garantir du froid vif, ils atteignent rapidement la grand-rue, où Minie ralentit quelque peu le rythme. Il ne lui déplaît pas de se faire voir au bras de Charles. Celui-ci, déjà, se sent moins à l'aise pour reprendre le sujet. Il fait ce qu'il juge être un adroit détour, dans les circonstances :

— J'suis content d'être arrivé et d'être ici avec vous. Il me semble que ça va être plus facile de se comprendre.

— Ah! vous trouvez, vous! C'que j'comprends, moi, c'est que quelqu'un qui m'a écrit qu'il avait de grands projets pour nous deux, y' a pas longtemps, se dépêche de prendre un emploi qui va l'obliger à s'éloigner pour des semaines à la fois! C'est ça que j'comprends.

Et elle pousse un fort soupir d'aise. Elle est contente d'avoir saisi la première occasion pour lui river son clou. Elle s'en trouve, du coup, soulagée et apaisée.

— Pourtant, il me semble que j'ai été clair. C'est rien que temporaire. J'sais ben que c'est pas une job pour un gars qui a envie de s'marier !

Minie met l'autre pied dans la porte, sans hésiter :

— C'est la première fois que j'vous entends parler de mariage, Charles Beauregard !

— Pourtant, c'était facile à deviner, que j'avais ma demande dans mes valises.

Cette figure de style plaît à Minie. Sans le savoir, Charles marque un point. Elle serre un peu plus le bras qu'il lui offre et ralentit davantage leur allure. Dans sa tête, Minie repasse tout ce que sa mère lui a dit au sujet de « l'amour qui vient d'un coup sec » et de l'autre, qui se bâtit peu à peu. Elle doit convenir que la sensation que lui procure cette promenade sur les trottoirs enneigés du village, au bras de Charles, la grise assez. Sans mot dire, avec précaution, elle l'examine du coin de l'œil. Il semble fier, lui aussi, d'être à ses côtés. Son apparence est supérieure à la moyenne : il est grand, faisant près de six pieds, et marche le corps très droit. Elle aime son pas élastique, son regard quelque peu exotique, un regard qu'elle dirait persan. Elle admire surtout ses mains, longues, fines avec des doigts très articulés, par déformation professionnelle sans doute. Elle examine plus attentivement sa bouche, ses lèvres… la lèvre inférieure est plutôt charnue… et ose se demander si cette bouche embrassera aussi bien que celle de Moïse. Plus la pensée d'un prochain mariage la gagne, plus cette éventualité lui sourit. Aussi, c'est plus détendue qu'elle poursuit la conversation :

— J'espère, Charles, que vous me comprendrez si j'vous dis que j'pourrais difficilement accepter de marier un homme qui ne s'rait jamais là. Surtout que l'idée de vivre dans la grande ville me fait un peu peur, même si j'suis bien d'accord avec ça.

— J'vous comprends, Minie. Mais vous savez pas à quel point le mariage, c'est sérieux pour moi. Il me semble qu'y' peut pas y avoir de salut pour l'homme en dehors du mariage.

— J'suis pas sûre de vous suivre, Charles. Pourquoi le salut de l'homme dépendrait plus du mariage que celui de la femme?

— Ben, c'est parce qu'à moins d'entrer en religion, c'est quasiment pas possible pour un homme de faire une bonne vie, sans être marié. J'parle d'un homme normal, évidemment… Les tentations sont partout.

— Quand vous dites que c'est sérieux, le mariage, vous pensez à quoi au juste?

— Ben… de faire le bon choix… de pas se tromper de personne.

— Qu'est-ce qui vous fait penser que vous vous trompez pas, avec moi?

— Ben… J'sais qui vous êtes, de quelle famille vous venez… J'suis sûr que vous êtes une bonne personne… que vous avez de bons principes… Puis, vous êtes intelligente, éduquée… C'est important, tout ça!

Minie garde le silence. Elle aurait préféré que Charles lui parle d'amour, de ce qu'il éprouve pour elle plutôt que de ce qu'elle représente. Elle réfléchit. Sans mot dire, ils se rendent jusqu'au bout de la rue Saint-Patrice. Comme ils s'apprêtent à revenir sur leurs pas, elle fait une subtile manœuvre, en apparence involontaire, pour lui bloquer le chemin et faire en sorte qu'ils se retrouvent face à face, momentanément : elle veut voir s'il saura profiter de l'occasion. Elle lui sourit, s'approche tout contre lui…

— Si vous saviez rien de ma famille, ni de mon intelligence, est-ce que je vous plairais quand même?

Il paraît décontenancé, hésite un moment, lui rend son sourire, la saisit par le bras et la ramène à ses côtés, tout en reprenant la marche. Minie est déçue. « C'est pas Moïse qui aurait laissé passer une chance pareille! » pense-t-elle. Le silence se prolonge et Minie s'interroge, perplexe : « On a beau être réservé, y' faut ben apprendre à s'connaître! » Charles ne trouve qu'une chose à ajouter :

— Acceptez-vous que j'parle à votre père?

Minie interprète cette question comme une demande en mariage en bonne et due forme. Elle interrompt ses pas, regarde Charles. Il semble mal à l'aise. Elle hésite, réfléchit, le temps de se convaincre que Charles doit certainement éprouver pour elle plus que ce qu'il en a dit, qu'il finira bien par se dégeler :

— Oui, Charles, j'accepte.

Ils se regardent, échangent des sourires et reprennent leur promenade à plus vive allure. Minie a sans doute hâte que Charles « parle » à son père. Ceci ne l'empêche pas de s'arrêter devant la vitrine de Mlle DeGrandpré pour montrer, à Charles, un chapeau qu'elle a confectionné peu avant. Elle tente de lui faire apprécier l'équilibre des couleurs et l'audace de l'aigrette, savamment placée au sommet de la calotte. Mais Charles se montre peu impressionné. Il est sans doute perdu dans ses pensées prémaritales.

Charles soupe chez les Lareau. Au cours du repas, il demande la permission de présenter Minie à sa mère, qu'il veut aller visiter le lendemain, à Upton. Tout le monde comprend que les choses progressent bien.

— Ben sûr, mon gars. Tu pourras prend' le Blond, pis l'att'ler su' à carriole. Dedans, y' a tout' les peaux d'ours qui faut pour faire un voyage confortable. Es-tu capab' d'att'ler au moins ?

Théophile le dévisage, l'air narquois, tout en allumant sa pipe.

— Oui, oui, monsieur Lareau, j'suis capable.

— As-tu l'intention de d'mander à Béatrice de vous accompagner, Minie ?

Connaissant sa mère, Minie sait que c'est là davantage une directive qu'une question.

— Oui maman, j'y pensais justement.

❧

La visite se déroule bien. Victorine est heureuse de ce qu'elle observe. Elle connaît les Lareau, a vu grandir Minie. Cela la rassure de voir son fils reprendre racine dans son milieu, pour ainsi dire, après toutes les tribulations que le destin lui a imposées.

Charles, que sa demande en mariage angoissait, ne rencontre aucune difficulté auprès de son futur beau-père. Non seulement celui-ci le renseigne-t-il sur la dot de mille dollars qu'il destine à Minie, mais il lui prodigue un singulier conseil : « Tu sais, Charles, Minie est une ben bonne fille, mais elle est un p'tit peu gâtée. Elle aime ça dépenser un peu trop. J'te conseille de t'nir les cordons serrés. Quand a' te d'mand'ra que'qu'chose, dis-y' jamais non, parce qu'elle a du caractère ; elle l'prendra d'travers. Mais dis-y : "correct", pis r'tard' ça autant qu'tu pourras. Tu s'ras surpris, plus tard, d'l'argent qu't'auras ramassé comme ça... just' en r'tardant un peu ! C'est ça qu'j'ai fait' avec la Noèr', pis ça m'a rapporté gros ! Ha ! ha ! ha ! » Un peu médusé, Charles se promet tout de même de mettre le conseil en pratique, un conseil qui lui convient très bien, par ailleurs.

∽

Émérentienne, la sœur aînée de Minie, habite Verdun depuis son mariage. Étrangement, elle a épousé un neveu de Charles qui se prénomme également Charles. Ce mariage remonte à près de dix ans. On était alors loin de penser qu'un jour, l'oncle et le neveu — lequel est plus âgé que son oncle — se retrouveraient mariés aux deux sœurs !

Le mari d'Émérentienne est menuisier et possède un atelier comptant quelques ouvriers. Issu d'un milieu industriel et ayant grandi dans une ville à majorité anglophone, il a rapidement été surnommé « Charly ». Cette pratique s'est avérée utile pour éviter toute confusion, lorsqu'on s'adresse à l'un ou l'autre. Toujours est-il que c'est chez Émérentienne et Charly que Charles est invité à se retirer, lorsque son travail le ramène à Montréal. Cette formule a un double avantage : elle est économique et permet à Minie de visiter son fiancé sans causer d'inquiétudes à ses parents. L'accueil d'Émérentienne les assure, en un mot, du respect dû à une fiancée de bonne famille. Minie et Charles se voient ainsi trois ou quatre fois, au cours de l'hiver 1911-1912. Elle arrive par le train du samedi matin. Charles, lui, est rentré

49

du jeudi ou de la veille, devant faire rapport à son employeur et lui remettre les commandes qu'il a réussi à obtenir, au cours de ses périples.

Charles ne semble pas rechercher particulièrement les occasions de tête-à-tête, préférant familiariser Minie avec la métropole. Il est amateur de musique de fanfare et d'opéra, chose que celle-ci ignorait jusque-là. C'est par lui que Minie apprend l'existence des concerts du parc Sohmer. C'est d'ailleurs à cet endroit que John Philip Souza, le compositeur américain de marches militaires que Minie apprécie tant, se produit à l'occasion.

Lors d'une rencontre, Charles invite Minie à une représentation de « Manon » — l'opéra à succès de Jules Massenet — donnée au Monument-National, boulevard Saint-Laurent, par une troupe française en tournée. Au cours de la représentation, Minie est frappée de l'attention soutenue que Charles accorde au déroulement de l'action. Elle découvre, de la sorte, un volet de sensibilité qu'elle ne lui connaissait pas. Lorsque Manon chante cet air justement célèbre : *Adieu, notre petite table*, qui indique aux spectateurs qu'elle se rend aux arguments du père de son amoureux, s'apprêtant ainsi à quitter le chevalier Des Grieux, Minie surprend Charles à essuyer furtivement une larme. Aussi, au sortir de la salle...

— Ça semble te toucher beaucoup l'opéra, Charles. Tu m'en n'avais jamais parlé avant.

— J'trouve ça beau.

— Oui, c'est beau. Surtout la musique. Moi aussi, j'trouve ça. Mais c'est des histoires arrangées. C'est pas vrai, quand même.

— C'est plus beau que la réalité. C'est ça que j'aime. On voit les acteurs, les personnages vivre des drames, des passions, puis y' peuvent en parler. C'est ça que j'trouve beau. Y' savent comment en parler...

— Tu trouves pas la vraie vie belle, Charles ?

— C'est pas ça que j'veux dire... J'veux dire que l'art c'est plus grand, plus beau que la vie ordinaire.

— Aurais-tu aimé ça, devenir acteur ou chanteur ?

– Euh… j'sais pas…

– …

Dès le début de l'été 1912, Charles ayant trouvé un emploi stable à Montréal, les futurs mariés fixent la date de la cérémonie au samedi 5 août; ils se mettent, sans plus tarder, à la recherche d'un logement. Ils dénichent un modeste rez-de-chaussée de quatre pièces, dans le quartier Pointe-Saint-Charles. Le logement est inoccupé. Ces pièces vides, loin de décourager Minie, stimulent son imagination :

– On placera le canapé du long de ce mur et, en face, j'verrais très bien mon piano, avec un fauteuil de chaque côté, placés en angle… Qu'en dis-tu, Charles?

– Ça m'va. C'est comme tu voudras.

– Toi, Émérentienne, qu'est-ce que t'en penses?

– Ton idée est bonne.

Minie entraîne son fiancé dans une autre pièce :

– Ici, ce sera notre chambre… Le lit, sur ce mur… mon bureau en face et ta commode… là. Est-ce que tu couches à droite ou à gauche du lit?

Elle ne peut s'empêcher de rougir, en posant cette question.

– Euh… à droite… et toi?

– Ça tombe bien parce que moi, j'préfère coucher à gauche.

Et, de peur de se retrouver coincée par un sujet aussi embarrassant, elle tire Charles par la manche jusqu'à la cuisine, où elle lui demande à quel moment ils iront acheter leurs meubles. Celui-ci semble ennuyé.

– Qu'est-ce qu'il y a, Charles, on dirait que ma question t'embarrasse?

– Non, ça va… Et puis… pour être bien franc, oui, ça m'embarrasse!

– Mais pourquoi que ça t'embarrasse comme ça?

– Ben… c'est que le p'tit peu d'économies qu'j'avais a fondu comme neige au soleil!

– …

– C'est pas facile dans mon nouvel emploi. Les ventes sont pas fortes pis j'suis payé à la commission. La compagnie me donne des avances, mais j'vends pas assez pour rencontrer les avances. Comme c'est là, c'est moi qui leur dois de l'argent…

– Ouaïe! Qu'est-c'qu'on va faire?

– …

– J'pourrais peut-être demander à papa de nous passer la dot tout d'suite. Avec mille piastres, on devrait s'tirer d'affaire facilement tu penses pas?

– C'est sûr que ça m'tirerait une épine du pied. Mais ça m'gêne pas mal!

– Ben voyons, Charles, on n'est pas pour commencer à s'compliquer la vie pour ça! J'vas en parler à papa aussitôt que je retourne à la maison.

Et Minie s'approche pour lui donner un baiser, question de le consoler de sa déveine, mais constate encore une fois que cette initiative de sa part le raidit plutôt que de l'attendrir. Elle est perplexe et commence à se demander s'il faut qu'elle devienne « Manon », pour réussir à le réchauffer.

De la pièce voisine du logement vide, Émérentienne n'a pas perdu un seul mot de cet échange. Une perception négative grandit en elle à l'endroit de son futur beau-frère. Charles doit repartir le lendemain; elle en profitera pour parler à sa sœur.

&

– Minie, laisse ta broderie, j'voudrais te parler!

Celle-ci est d'abord étonnée du ton impératif de sa sœur. Mais un second sentiment, plus positif, lui souffle que c'est la première fois qu'Émérentienne démontre à son égard un quelconque intérêt. Curieuse, elle laisse tomber sa broderie sur ses genoux et lève un regard interrogateur:

– Mon Dieu, Émérentienne, t'as ben l'ton raide. Qu'est-ce que tu veux ben m'dire, pour l'amour?

– Hier, quand on a visité le logement, j'ai pas pu m'empêcher d'entendre c'que vous vous êtes dit, question d'argent.

– Ah oui?

Cette indiscrétion involontaire inquiète Minie. Elle craint que sa sœur ne la court-circuite auprès de son père.

– Plus j'y pense, Minie, plus j'me d'mande si t'as fait un si bon choix qu'ça!

– Qu'est-ce que tu veux dire, Émérentienne? Explique-toi, j'aime pas ben ben ta question!

– Fâche-toi pas, ma p'tit' sœur. Même si on n'a pas toujours été des grandes amies, tu devrais savoir que j'te veux pas d'mal. C'que j'vas t'dire, je l'dis pour ton bien. T'en f'ras c'que tu voudras. C'est que depuis que Charles reste avec Charly pis moi, ça nous a permis de l'voir aller, pis de remarquer des choses… Charly pense la même chose que moi.

– Pour l'amour, Émérentienne, dis c'que t'as à dire. Tu vois ben que j'suis tout d'travers!

– Pour commencer, on l'trouve pas ben ben vaillant. Quand y' est chez nous, y' s'lève tard, y' est toujours fatigué… Pis y' a jamais grand-chose à dire, même sur son travail. Quand y' en parle, c'est avec une sorte d'indifférence, de manque d'enthousiasme. J'ai même remarqué qu'y' s'accote pour s'laver les mains!

– Quoi? Y' s'accote pour s'laver les mains! Comment ça?

– Oui oui, y' s'accote sur le bord de l'évier. Accoté là, ben accoté! Charly, tu connais mon Charly, y' a ben des défauts, mais pas celui-là : pour être vaillant, y' est vaillant! Charly m'disait, au fait : « Ça, c'est l'genre de gars qu'j'engagerais pas dans ma *shop*! »

– …

– Tu sais, ma p'tit' sœur, marier un paresseux, c'est aussi pire que d'marier un ivrogne… Pis ça, j'suis ben placée pour le dire!

Minie ne se sent pas bien. Se peut-il qu'Émérentienne ait raison? Elle doit reconnaître que l'aveu de Charles, concernant sa situation financière, l'a laissée songeuse. Elle est fière de la dot qui lui revient, mais elle ne s'attendait pas à ce que cette dot devienne leur seule ressource. Et puis, elle a bien remarqué que Charles n'est pas l'homme le plus dynamique. Mais de là à le traiter de paresseux, il y a une marge !

— J'trouve, Émérentienne, que vous y allez un peu fort ! Paresseux... C'est vrai qu'y' a pas une grosse constitution, mais j'suis sûre qu'y' est pas paresseux ! Y' a encore aut' chose que tu veux m'dire ?

— Comme j't'ai dit, t'en f'ras c'que tu voudras. Mais... j'y penserais à deux fois. Pour ce qui est de c'que tu veux demander à papa, fais à ta tête. J'me mêlerai pas d'ça. C'est ta vie, pas la mienne. J'ai assez d'mes problèmes.

— C'est mieux comme ça. J'suis quand même pas un bébé !

Plus Minie parle, plus son orgueil reprend le dessus. Elle n'est certainement pas pour casser ses fiançailles juste pour des suppositions ! Elle doit se marier le 5 août et elle se mariera le 5 août !

De retour à Saint-Liboire, elle profite d'un moment où elle est seule avec son père pour lui expliquer la situation. Elle ne rapporte pas les commentaires d'Émérentienne, se limitant à souligner les difficultés propres à un nouvel emploi et les aléas de la vente « à commission ». De toute évidence, elle y réussit car Théophile ne soulève aucune objection :

— R'mett' ta dot à Charles un mois plus vite, un mois plus tard, ça m'dérange pas ! Tu y' diras de m'voir à son prochain voyage.

Minie n'est pas assez émancipée pour être frustrée de cet arrangement. Elle croit que cette dot lui confère le même avantage, qu'elle soit remise à Charles ou à elle-même.

La semaine précédant le mariage, le jeune couple, accompagné de Théophile, se rend chez le notaire. Sur les conseils de son frère Victor, Charles a insisté pour qu'un contrat de mariage en séparation de biens soit passé entre eux. Victor l'a assuré que c'était plus prudent, autant pour sa future famille que pour lui-même, advenant qu'il se lance en affaires. Le notaire connaît bien les antécédents de ses clients. Il a préparé le contrat habituel, mais Charles y apporte des changements de dernière minute :

— J'aimerais, Monsieur le notaire, avantager ma femme de mille dollars, pris sur le plus clair de mes biens, advenant mon décès.

Charles et Théophile échangent un signe d'intelligence.

— Oh! Vous êtes très généreux, monsieur Beauregard, c'est bien. Donc, je note… mille dollars… pris sur le plus… clair…

Il n'a pas le temps de terminer sa note que Charles en remet :

— J'aimerais aussi que vous indiquiez que je donnerai à ma femme deux dollars par semaine, pour la remercier du soin qu'elle prendra de mon linge.

— Oh oh! Mais, monsieur Beauregard, vous êtes la générosité même, la générosité même! Mademoiselle Herminie doit sûrement se considérer chanceuse d'avoir rencontré un homme aussi compréhensif.

Et le notaire de jeter un coup d'œil réjoui à mademoiselle Herminie, par-dessus ses demi-lunettes. Mademoiselle Herminie se sent en effet toute retournée, mais Théophile, lui, s'interroge plutôt sur la santé mentale de son futur gendre : « Payer sa femme pour laver son linge… Y' est malade! ».

Cinquante-sept ans plus tard, Minie revoit la drôle de tête que son père avait faite. « Inquiète-toi pas, papa, j'ai jamais touché une traître cenne noire de tout' cet argent-là. Des paroles! C'était rien que des paroles! »

3

« OUAIS ! un gros mariage ! » se disent les badauds. Le cortège a quitté la maison des Lareau à pied, vers 9 h 30, pour se rendre à l'église paroissiale. Le fiancé, accompagné de son frère Victor, son témoin, ouvre la marche. Charles étrenne un chapeau haut de forme, en authentique castor, et un superbe « prince-Albert » que son frère Romain, devenu tailleur depuis peu, lui a confectionné. L'épousée, au bras de son père, ferme le cortège. Entre ces deux extrémités, les invités ont pris leur rang, selon qu'ils sont associés à une famille ou à l'autre. Le défilé doit nécessairement tourner de la rue du Dépôt sur la rue Saint-Patrice, ce qui permet aux fiancés de se voir et de se faire un petit signe de la main. Tout ce beau monde arrive à l'église quinze minutes plus tard.

Sur le parvis les attend, fier et rose, le curé Chaffers, flanqué de ses enfants de chœur en surplis frais repassés. Après le mot de bienvenue d'usage, le cortège, précédé du porteur de la croix, du thuriféraire et du curé, s'engage dans la grande allée au son de l'orgue Casavant, touché par nulle autre que Mlle Bachand. Lorsque Minie, au bras de son père, traverse le portique, Jacques Charland, le bedeau, fait un crochet pour lui souffler à l'oreille : « Vous allez voir, mamzell' Minie, j'vas vous sonner les cloches comme vous les avez jamais entendues ! »

Les « oui, je le veux » sont bientôt échangés ; ça n'empêche pas Minie de jeter des coups d'œil furtifs à Charles, question de se rassurer sur son choix. Au fond de son cœur, elle sent de l'appréhension, une détresse irraisonnée. La mise en garde d'Émérentienne lui revient en mémoire. Toutes les observations négatives qu'elle a déjà enregistrées, au cours de ces derniers mois, l'assaillent également. L'homélie du curé Chaffers, prononcée de sa belle voix grave, sa voix des grands jours, se transforme en un bourdonnement inintelligible dans sa tête. Elle accueille la fin de la cérémonie avec un profond soupir de soulagement. Même la sortie, au bras de Charles et au son de la grande marche nuptiale du *Songe d'une nuit d'été,* de Mendelssohn, et pour laquelle Mlle Bachand a enfoncé au maximum la pédale pour le *crescendo*, à l'orgue, ne lui apporte qu'une joie mitigée. Malgré les sourires dont elle gratifie généreusement tous ses proches, elle ressent une anxiété indéfinissable, une anxiété qui va croissant au fur et à mesure que la sortie progresse, qu'elle approche de la porte, grande ouverte en cette radieuse journée d'été. Elle offre un dernier sourire aux invités et, comme elle tourne la tête vers Charles, son regard croise celui d'une personne debout, immobile, adossée au mur près de la porte.

Cette apparition lui coupe le souffle et les jambes au point qu'elle trébuche. Charles doit raffermir son bras pour la soutenir : Moïse, que l'on ne voit jamais à l'église, la regarde droit dans les yeux et hoche tristement la tête. Minie décode : « Pourquoi t'as fait ça ? Pourquoi t'as fait ça ? » Elle détourne les yeux et se ressaisit, prenant une grande bouffée de l'air frais qui s'offre à elle. Traversant le portique, elle a un regard triste pour Jacques qui, comme promis, et avec son plus beau sourire en dépit de ses dents cariées, semble vouloir arracher le câble de la cloche dont les soubresauts ébranlent toute la structure. Minie a davantage le sentiment d'entendre tinter le glas que carillonner son mariage.

Mais c'est une noce dont on gardera le souvenir longtemps, dans le village. Théophile n'a pas regardé à la dépense. Le « p'tit blanc » coule généreusement, on mange copieusement et on danse ferme, au son des meilleurs violoneux de la paroisse. Vers onze heures du soir, les invités manifestant plus d'endurance que prévu, Minie, qui valse alors dans les bras de Charles, lui souffle à l'oreille : « Qu'est-ce que tu dirais si on s'en allait dans not' chambre? J'me sens fatiguée. » Elle sent le dos de Charles se raidir, momentanément. « Pourquoi pas? » Les nouveaux époux demandent aux invités la permission de se retirer. On fait des « ah! » et des « oh! », puis Hermine les reconduit à la chambre qui leur a été réservée pour l'occasion. Elle croit s'être acquittée de toutes ses responsabilités après avoir recommandé à Charles « d'être bon et patient ». Et la porte se referme sur les épousés, pendant qu'à l'extérieur on entend les invités, les hommes surtout, que la solidarité et les vapeurs d'alcool enhardissent, y aller à haute voix de leurs recommandations à Charles :

— Tâche de faire un homme de toé, Charles!

— Fais-nous pas honte, là!

— Si t'as besoin d'aide, tu nous lâcheras un cri!

— Ha! ha! ha!

« Taisez-vous donc, bande de polissons! Descendez, les hommes, restez pas su' l'palier, laissez-les tranquilles! » leur enjoint la Noire, tout en les bousculant un peu dans l'escalier. La rumeur s'atténue et les invités retournent au salon pour continuer à danser et à festoyer.

Minie et Charles se retrouvent seuls, face à face, plutôt désemparés. Elle se sent très intimidée, mais se décide à agir la première. S'approchant de Charles, elle lui tend les mains :

— Bonsoir, Monsieur mon mari...

— ...

— Enfin la paix, juste nous deux...

Elle l'enlace de ses deux bras, appuyant sa tête sur sa poitrine. Ils restent ainsi un long moment. Minie sent que la nervosité de Charles va croissant. Il ose à peine étreindre ce corps qui s'offre à tous ses sens : Minie a pris soin de se parfumer discrètement, mais efficacement...

— Tu trembles, Charles, qu'est-ce qui s'passe?

— J'ai rien... non, c'est rien.

Minie essaie de comprendre les motifs de cette nervosité. Elle se sent elle-même un peu nerveuse, plutôt appréhensive, mais de là à trembloter... Ce qu'elle a appris chez les sœurs ne lui est d'aucun secours. Elle se dégage lentement et, souriante, ajoute :

– J'vais aller me préparer la première...

Sa mère a installé un paravent entre le lit et la table de toilette, ce qui assure une certaine intimité. Quand elle réapparaît, elle a l'impression que Charles n'a pas bougé d'un poil. Celui-ci la regarde, fasciné, ébloui. Il y a de quoi : Minie a revêtu une robe de nuit blanche, dont le corsage révèle un trésor que Charles a sans doute cherché à imaginer avec plus ou moins de succès jusque-là.

– T'es... belle !

– Fais-moi pas rougir, là.

Et elle le reprend par la taille. L'émoi de Charles est à son comble. Elle sent une pression contre son ventre et n'ose pas s'avouer de quoi il peut s'agir.

– Tu devrais aller te préparer, toi aussi. J't'ai laissé assez d'eau, j'pense bien.

Elle défait son enlacement et s'éloigne de lui, à reculons, avec un sourire indéfinissable sur les lèvres. Tirant les couvertures, elle se glisse du côté gauche du lit :

– J't'attends...

Charles passe de l'autre côté du paravent, sans avoir réussi à détacher le regard de sa personne. Pendant les préparatifs de Charles, Minie, le regard perdu, essaie d'anticiper sur les événements immédiats. Comment se passe une nuit de noces ? Quels gestes faut-il poser ? Que faut-il dire ? Des camarades l'ont prévenue que ça saignerait. « Est-ce que ça fait mal ? » « Parfois ! » Eh ! qu' c'est compliqué ces affaires-là, quand tu l'sais pas ! pense-t-elle. Elle s'en veut de ne pas avoir questionné sa sœur à ce sujet. Mais il est trop tard. Il faut faire face à la musique ! Pourtant, il lui semble que Charles, par son silence et son inaction, rend tout compliqué. Avec Moïse, au contraire, tout était facile ; tout se déroulait sans effort, sans même y penser. L'image de Moïse, debout à l'arrière de l'église, se présente et l'envahit d'une tristesse sans fond. A-t-elle bien fait de capituler aussi facilement devant ses parents, à son sujet? Pourquoi a-t-elle ainsi piégé un homme jusqu'au mariage? Serait-ce pour affirmer son pouvoir de séduction? Satisfaire sa fierté personnelle?

Quand Charles réapparaît, il a, lui aussi, passé un vêtement de nuit. Il se faufile rapidement sous les draps, de l'autre côté du lit. Elle se retourne de son côté, un sourire accueillant sur les lèvres. Sous les couvertures, Charles avance fébrilement les mains vers ce corps de plus en plus convoité, désir qu'il a si bien réussi à maîtriser tout le temps des fiançailles. Dès qu'il le rejoint, il l'enlace si fortement que Minie ne peut retenir une plainte, sans pour autant perdre le sourire:

— Ouche! Tu m'serres trop…

— Excuse-moi, c'est plus fort que moi, j'peux pas m'en empêcher…

Et Charles de s'agiter comme un ver à chou, de bouger de façon désordonnée et de lui plaquer des baisers sans discernement un peu partout, sauf sur la bouche. Minie, surprise, se dit que ça devient plutôt une débâcle qu'un dégel! Elle identifie clairement, maintenant, l'origine de cette pression sur son abdomen, un sujet qui lui apparaît inabordable… Elle a, elle aussi, enlacé Charles, mais elle ne sait que faire d'autre. Et celui-ci de s'exciter de plus en plus. Minie le retient de ses bras, lui enlevant sans le vouloir toute possibilité de poser facilement d'autres gestes. Le souffle de Charles s'accélère et devient bruyant. On pourrait dire qu'il a la danse de Saint-Guy! Il s'agite tant et si bien que tout son corps est subitement saisi d'un fort spasme. Il fige instantanément, gémit et laisse tomber, dans une faible plainte:

— Ah! non…

Minie se demande comment réagir. Il lui faudrait d'abord savoir ce qui est survenu. Elle l'ignore totalement:

— Qu'est-ce qui s'passe, Charles?

— J'ai pas pu me r'tenir… Ça' parti tout seul!

— …

Autant Charles a fait preuve d'énergie et de vitalité au cours de ces quelques minutes, autant il est maintenant inerte et affaissé. Minie sent diminuer la pression sur son abdomen, par soubresauts régressifs. Le menton posé sur la tête de Minie, Charles se demande sans doute aussi ce qu'il pourrait bien dire, ou faire. Il ne semble pas fier de son comportement, se sent humilié peut-être, honteux. Faute de trouver la conduite appropriée, il choisit le silence et l'immobilité. Le calme s'installe, un calme inquiétant, comme lorsqu'un orage nous semble s'être terminé prématurément. Minie constate alors que Charles s'est endormi. Le regard fixe, perdu dans l'espace clos de cette chambre nuptiale, elle se demande toujours ce qui est survenu. Elle ramène tendrement la tête de Charles sur sa poitrine et caresse machinalement les cheveux du bel endormi. Elle éprouve une vague et profonde tristesse. Elle se sait ignorante des choses de la vie, mais elle s'attendait à ce que Charles, ce « grand dieu des routes », cet homme de vingt-sept ans qui a vécu à Montréal, qui a voyagé de Boston à l'Ouest canadien, elle s'attendait à ce qu'il en sache un peu plus qu'elle. Elle était prête à se laisser guider par lui, à travers ce labyrinthe de l'hyménée qu'elle imaginait pure félicité. Elle l'aurait suivi aveuglément, en totale confiance. Mais ça ne s'est pas produit. Elle ignore toujours ce qui s'est réellement passé. Ça peut pas n'être que ça, une nuit de noces!

Et les heures s'égrènent, silencieuses et interminables, avant que la fatigue ne terrasse sa perplexité, que le sommeil ne submerge ses appréhensions et que la lampe ne s'éteigne… au bout de son huile.

ↀ

Elle se revoit, une dizaine de jours plus tard, nouvellement installée à Montréal. Elle est à préparer le repas du soir, tout en repassant les incidents de sa nouvelle vie et les déceptions qui, malheureusement, s'accumulent.

Dans les semaines qui avaient précédé son mariage, réfléchissant aux changements que lui apporterait ce nouveau régime, Minie avait anticipé que la rentrée de Charles, après le travail, serait un moment d'euphorie, un moment où le plaisir de se retrouver serait partagé, donnerait lieu à un échange de marques d'affection, de cajoleries ou même plus... quitte à ce que le souper en soit retardé! Dans son imaginaire romanesque, elle se voyait courir dans les bras ouverts de Charles, dès qu'elle entendrait la porte s'ouvrir. Lui serait tout aussi heureux, n'ayant rien eu de plus pressé que de rentrer directement chez lui, par le plus court chemin possible. Ils seraient pendant de longs moments tout au bonheur de se retrouver, à la joie de s'embrasser, de se tenir serrés l'un contre l'autre, durant des minutes interminables.

Mais, ça ne se passe pas ainsi. Lorsque Charles rentre, elle va au-devant de lui pour l'accueillir, certes, mais elle a vite appris à modérer ses transports car il n'y a pas de bras ouverts, pas d'euphorie, pas de cajoleries. C'est un Charles soi-disant fatigué qui rentre, le journal sous le bras. Un Charles qui se satisfait d'un simple « Bonsoir, Charles! » en échange d'un « Bonsoir, Minie! », d'un baiser qu'elle lui donne sur la joue, auquel il ne répond pas, qui n'a rien de plus pressé que de rejoindre son fauteuil pour lire à son aise l'édition finale de *La Presse*. Depuis trois jours, elle a même une rivale : Charles lui a offert une chienne Irish Setter, pour la rassurer. Minie lui avait mentionné se sentir un peu craintive dans cette grande ville et, surtout, dans ce quartier bigarré. Or, « Rouillette » — c'est le nom qu'ils lui ont donné — bat régulièrement Minie de vitesse lorsque la porte s'ouvre. La jeune mariée a vite appris que la chienne avait, en priorité, droit aux caresses du maître. Elle a donc tempéré encore un peu plus son accueil.

Tout en préparant les légumes, elle décide, ce soir-là, de laisser le rituel d'accueil entièrement à Rouillette. Ça lui permettra de sonder l'intérêt de Charles pour sa personne.

Charles entre. Rouillette bondit sur ses longues pattes, en échappant un aboiement guttural. En moins de deux sauts, elle atteint son maître et lui manifeste sa joie. Charles la caresse en retour : « Tout beau, tout beau... bon chien, bon chien! ». « Bonsoir, Charles! », « Bonsoir, ma femme. » Minie entend Charles retirer son veston, passer à la salle de bain pour se laver les mains. Il en ressort deux minutes plus tard et se dirige vers son fauteuil. « Passé une bonne journée ? » « Comme d'habitude. Qu'est-ce qu'on mange pour souper ? » « Un bouilli de bœuf. » Cet échange à distance fait mal à Minie. C'est comme un signe tangible de celle qui s'est établie entre eux, du peu de place qu'elle occupe dans le cœur de son mari.

Elle réfléchit et décide qu'il lui faut tenter quelque chose, quelque chose de plus direct, de plus audacieux. Les préparatifs du repas étant terminés, elle place la marmite sur la cuisinière à gaz, ajuste la flamme pour ne pas avoir à s'inquiéter, enlève son tablier, jette un coup d'œil au miroir, se replace les cheveux. Elle se dirige ensuite vers le salon, s'approche de Charles, dont le fauteuil lui fait dos. Perdu dans sa lecture, son mari ne l'entend pas venir, bien que Rouillette ait joyeusement martelé le plancher de sa puissante queue. Minie s'assoit sur le bras du fauteuil, commence à caresser la nuque de son mari d'une main, et sa joue de l'autre :

— J'avais hâte que t'arrives... Monsieur mon mari...

Au premier geste, Charles sursaute. Il repousse sa femme du bras, sans ménagement.

— Tu vois pas que j'suis après lire ? Tu m'déranges !

Minie en perd l'équilibre et tombe par terre. Interloquée, bouleversée, humiliée, elle se met à sangloter, faiblement. Charles, impassible, ne bouge pas, ne la regarde même pas. Il feint de se concentrer sur la lecture de son journal, alors que son visage se tend, devient livide.

— Pourquoi... tu m'as poussée... comme ça ? hoquette Minie entre ses sanglots, sans se relever.

— J't'ai déjà dit que j'voulais pas être dérangé, quand j'lis. C'est assez clair, y' m'semble !

Cette réplique, Charles la lui sert sans quitter son journal des yeux. Il fait même pivoter son fauteuil pour mieux se détourner d'elle.

— T'as pas d'cœur... tu m'traites moins bien... qu'la chienne... J'te comprends pas... J'comprends de moins... en moins... Je l'sais pus, quoi faire... pour que tu t'intéresses... à moi...

— Arrête donc de faire un drame pour une niaiserie, pis va donc faire le souper à' place!

Minie se relève lentement, ravale ses larmes et retourne à ses fourneaux, sans demander son reste, blessée comme aucun oisillon tombé du nid ne saura jamais l'être. Les yeux hagards, elle se sent à la fois désemparée, triste et en colère. Mais en colère contre qui? Contre Charles ou contre elle-même?

Minie achève la préparation du souper telle une automate. Il lui semble que ce qu'elle vit depuis son mariage est irréel, qu'elle est à faire un mauvais rêve, que tantôt, elle va se réveiller et retrouver le bonheur auquel elle a toujours rêvé. Elle revoit sa première nuit de noces, alors que Charles, surexcité par l'imminence de leur intimité, avait précocement éjaculé pour s'endormir, ensuite, sans avoir prononcé un seul mot d'amour, sans avoir posé un seul geste tendre. Le lendemain n'avait guère été plus romantique. Charles afficha plus de maîtrise de lui et prit enfin les bonnes initiatives techniques. Le mariage fut effectivement consommé, mais dans le silence et en l'absence de toute tendresse.

Ce silence et cette froideur de Charles rendent Minie très malheureuse. Elle ne comprend pas qu'un homme capable de s'attendrir à l'opéra soit aussi dépourvu. Elle a suffisamment lu de romans pour savoir qu'il y a, entre la teneur de ceux-ci et la vraie vie, une différence de langage. Mais elle ne croit pas, se refuse à croire que cette distinction doive dépouiller la vraie vie de tout sentiment. Elle aurait souhaité que son prince charmant soit capable de déclarer, dans ses propres mots, des mots de tous les jours, l'amour qu'il éprouve, la place que l'autre tient dans sa vie et, au moins, qu'il soit capable de l'embrasser de façon convaincante. Autant de choses que Moïse savait si bien faire... Mais ce souvenir, à peine resurgi, est immédiatement réprouvé, chassé.

Elle doit reconnaître ne pas être plus loquace elle-même. Ce n'est pas avec une simple question comme : « Charles m'aimes-tu? » et sa réponse automatique : « Ben oui, voyons, j't'aime », que son besoin de romantisme s'en trouve apaisé, nourri, satisfait. Minie ne trouve pas les mots qu'il faudrait pour amener Charles à s'exprimer. Elle se sent triste, d'une tristesse infinie. C'est donc ça, la lune de miel? Ça ne dure que le temps de passer de la séduction à la conquête, de dépenser la moitié d'une dot? Le temps d'une marche nuptiale? Au cœur de ses pensées, les paroles du vicaire, au moment de la confession de mariage, refont surface :

— Le mariage, mon enfant, c'est fait pour faire des enfants. Faites des enfants et l'Église sera satisfaite.

— Mais, mon Père, c'est quoi faire des enfants? Qu'est-ce qui est permis et qu'est-ce qui est défendu?

— Tout ce que vous ferez en faisant des enfants, c'est permis. Si vous ne faites pas d'enfants, tout ce que vous ferez, c'est défendu. C'est tout ce que je peux vous dire. Allez en paix et priez, mon enfant.

« Et la tendresse dans tout ça? pense Minie, au bord des sanglots, la tendresse, ça' a quoi à voir avec le « faisage » d'enfants? Ça devrait être permis tout le temps! » Minie constate, de façon plus ou moins intuitive, une contradiction entre les enseignements reçus et ses attentes insatisfaites de la vie de couple. Il lui semble, à la lumière de sa brève idylle avec Moïse, que les rapports amoureux ne peuvent se dérouler agréablement que dans la simplicité et l'abandon le plus total. Tout ce qu'on lui a appris lui apparaît compliqué, truffé de pièges, de non-sens. Le mutisme de Charles amplifie son désarroi. Comment comprendre une personne qui ne s'exprime jamais sur elle-même?

Elle pense à ses parents. Elle ne se souvient pas de les avoir entendus échanger des mots d'affection, et moins encore d'amour. Pourtant, ils semblent tous deux vivre en harmonie. Le respect mutuel et la tendresse se devinent, dans leurs rapports. Comment expliquer cette apparente contradiction? A-t-elle raison d'accorder autant d'importance aux paroles? Les paroles, même les plus tendres, peuvent-elles compenser pour la dureté des gestes? Qu'est-ce qui lui fait le plus mal justement, le silence ou les gestes? Il faudra bien tirer tout ça au clair, avec Charles, le plus tôt possible. Elle s'y engage.

Dans la pénombre de sa dernière chambre, les larmes qu'elle avait alors versées lui montent aux yeux. Silencieusement, sans mouvement et sans effort, dans son dernier lit comme dans son premier, elle pleure. C'est tout ce que son corps peut encore faire et Minie le lui permet, intensément. L'infirmière vient prendre son pouls sans la distraire de son chagrin... Car voyant les larmes perler au coin des paupières, elle se fait plus tendre que d'habitude et garde le silence. Minie lui en est reconnaissante.

4

Q UAND Minie la moribonde se réveille, sa première surprise est de constater qu'elle a dormi. Elle a dormi d'un vrai sommeil, lui semble-t-il. Un sommeil réparateur. Cette pensée la fait sourire, intérieurement. Ça n'a pas duré bien longtemps, puisque son drap est encore tout humide de ses larmes, mais ça lui a fait beaucoup de bien. Elle se sent plus forte, mieux en mesure de franchir cette dernière étape de sa vie ; elle revient à ses souvenirs…

ひ

— Charles, quand t'auras fini d'lire ta *Presse*, j'aimerais ça qu'on s'parle un peu.

— Han, han… ça s'ra pas long là.

Un peu plus tard :

— Qu'est-ce qu'il y a, Minie, as-tu besoin d'argent ?

— Non, Charles, c'est pas une question d'argent. C'est plus grave que ça.

— Plus grave que ça ? J'connais rien de plus grave que ça !

— Fais pas l'fou, là… Non… j'sais pas comment te dire ça, mais j'me sens pas ben d'la façon que ça s'passe, entre nous deux, depuis not'mariage.

— …

— Me semble qu'on s'parle pas… qu'on s'dit rien. Me semble qu'on n'a pas l'air de jeunes mariés… S'y' fallait qu'y' fassent un opéra avec nous deux, j'suis pas sûre que tu irais le voir!

Le visage de Charles se tend. Minie le constate, mais il poursuit :

— Prends par exemple… dans la couchette… J'pensais qu'j'aimerais ça plus que ça… J'veux pas dire que c'est de ta faute, mais j'trouve ça… j'sais pas comment te dire ça… J'pensais que ça s'rait plus excitant que ça… j'y' trouve pas beaucoup d'plaisir… Y'a des fois que j'm'en passerais ben!

Minie, tout en parlant, défroisse nerveusement son tablier, regardant alternativement Charles et ses propres mains. Elle juge qu'elle est allée assez loin pour une première lancée. Peut-être même trop loin. Enfin, elle choisit de se taire et d'attendre la réaction de Charles.

— La façon que ça s'passe, Minie, c'est la façon que ça doit s'passer. C'est sûr qu'on entend dire qu'y' a des femmes qui aiment ça plus que d'autres; y' a des femmes qui sont plus portées… Y' en a d'autres qui sont plus froides. Du moins, c'est c'que j'ai appris. J'peux pas te blâmer d'être comme t'es. Attends-moi, je r'viens.

Il quitte la pièce, se dirige vers la chambre conjugale, pour réapparaître un livre à la main :

— J't'en avais pas parlé, pis tu vas comprendre pourquoi, mais j'me suis même acheté, avant not' mariage, le livre le plus sérieux, le plus nouveau et le plus complet à ce sujet-là. Ça s'appelle : *La Vie à deux*. C'est écrit par un grand médecin des hôpitaux de Paris, le docteur Surbled.

Charles l'ouvre et fait lire à Minie l'« Avertissement », sorte d'avant-propos qui se termine ainsi :

… Ce livre n'est pas fait pour les enfants : il s'adresse exclusivement aux hommes qui, désireux d'entrer en mariage ou déjà engagés dans les liens de l'hyménée, veulent connaître leurs droits et remplir en conscience leur devoir.

Minie trouve cet « avertissement » très insultant.

— J'suis tout d'même pas une enfant, Charles. Y' m'semble que j'suis capable de comprendre les mêmes choses que toi! Prendre les femmes pour des enfants... Pour qui qu'y' s'prend, lui?

— Fâche-toi pas, Minie, y' a des pages plus importantes que celle-là... Tiens, lis ça.

Charles a rapidement feuilleté le livre, s'est arrêté à un certain chapitre et le lui tend à nouveau. Minie parcourt :

Le mariage se consomme dans le rapprochement sexuel que nous n'avons pas besoin de décrire et qui s'opère toujours d'un consentement mutuel. La femme, qui est en quelque sorte l'agent passif de l'opération commune, n'a qu'à se prêter à l'acte marital. Au contraire, l'homme, pour agir, doit éprouver le désir et subir l'éréthisme sensuel qui amènent les trois faits suivants et connexes : érection, pénétration du membre viril et éjaculation du sperme. L'acte conjugal n'est possible qu'en autant qu'on s'abandonne à l'instinct et qu'aucune préoccupation d'esprit, aucune agitation désordonnée du cœur ne l'entrave. Une distraction violente, une pensée étrangère à l'acte, mais qui nous obsède, suffit à l'empêcher, à en compromettre le succès. Par la suite, la femme doit s'efforcer, surtout si elle est froide, de se montrer accueillante, chaleureuse, se gardant de toute action, de toute parole qui viendrait troubler son mari : elle doit surtout subir l'opération sans se laisser aller à des mouvements brusques, qui pourraient rompre les relations ou blesser gravement l'organe viril en le tordant ou en le contusionnant.

Un autre passage dit explicitement :

Il est aussi recommandé de ne pas prolonger le coït outre mesure. Le rapport vigoureux et court est certainement le meilleur : il suffit à satisfaire le sens, à assurer la fin du mariage qui est la procréation et est hygiénique.

— Tu vois, Minie, c'est ben ça que j'fais. Hein ?

— Ouaïe…

Pendant qu'elle réfléchit, elle feuillette le livre distraitement et tombe sur ce passage, à la page soixante-dix :

> Les jeunes époux jouissent pleinement l'un de l'autre et ne bornent pas leur plaisir à l'œuvre de chair. Ils s'épanchent cordialement, se communiquent leurs plus secrètes pensées et font des plans d'avenir. Ces plans sont souvent magnifiques ; c'est l'heure des châteaux en Espagne.

Elle le tend à Charles, avec un sursaut de confiance :

— Y' a ce passage-là aussi !

Charles le parcourt.

— Torrieu d'baptême ! Ousque tu veux en v'nir ? Je l'sais que j'suis pas le plus parlant. Pis après ! On est comme on est. C'est comme ça que tu m'as connu pis c'est comme ça que j'suis.

Il reprend son souffle, lance le livre sur la table, replace le pli de son pantalon et poursuit :

— Y' a une chose qu'y' faut qu' tu saches, si tu l'sais pas encore. L'homme a besoin de faire l'acte. C'est dans sa nature. Pis l'mariage existe pour que ça s'passe comme y' faut. Parce que le plaisir charnel, en dehors du mariage, c'est la destruction, c'est la mort. La femme, c'est l'péché ! Une femme, ça peut détruire un homme. Pis ça réussit souvent ! T'as rien qu'à lire un peu, tu l'apprends assez vite ! R'garde l'histoire de Samson : y' s'est laissé avoir par une femme, ça' été sa perte ! R'garde dans l'opéra d'Carmen ! Don José, y' a ruiné sa carrière militaire, pis y' est devenu un assassin. L'histoire du monde est pleine de cas comme ça.

— Parle-moi donc de Marguerite, dans Faust. C'est pas plutôt elle qui s'est fait' avoir ?

— C'est l'exception qui confirme la règle ! Quand j'vivais à l'orphelinat, à Montréal, j'en ai vu des affaires se passer au bord de l'eau. Rien qu'des cochonneries ! Les femmes…

Il hésite, se reprend, semblant vouloir se convaincre de la justesse de sa vision. Minie se rend compte que sa timide intervention n'a aucun effet :

— Quand l'Église a compris tout ça, c'est là qu'elle a créé le mariage. Pour que ça s'passe comme y'faut! Le mariage, c'est un peu comme la condition qu'y' faut accepter, pour avoir le droit d'faire c'qui s'rait péché, autrement. Le mariage, c'est la permission d'faire un péché sans être obligé de s'en confesser! C'est ça qu'j'ai choisi quand j't'ai mariée, pis toé itou. Moé, en échange, j'suis prêt' à t'faire vivre pis à élever nos enfants. C'est à ça que j'me suis engagé. Ça fa' qu'respecte ton contrat, si tu veux qu'j'en fasse autant!

Elle a le goût de répliquer : « J'pensais qu'on s'était mariés parce qu'on s'aimait un peu. » Mais elle n'en a pas le loisir. Charles a lancé ces dernières phrases en quittant la pièce, a rapidement enfilé chapeau et veston puis, a claqué la porte. Elle n'est plus du tout certaine d'avoir marqué des points. La profonde tristesse qui l'habite, depuis son mariage, s'amplifie d'un cran.

Mais, que faire? Minie essaie d'évaluer globalement sa situation, d'imaginer une façon d'y remédier, mais aucune solution ne lui vient à l'esprit. La cause lui apparaît tout de même plus évidente : elle est convaincue que Charles n'éprouve pour elle aucun amour digne de ce nom. C'est la seule façon d'expliquer sa froideur, son silence. Mais elle doit admettre qu'elle se trouve dans la même situation! Autant elle avait spontanément avoué à son père son amour pour Moïse, autant elle n'a jamais dit à Charles qu'elle l'aimait. Serait-ce qu'elle n'aime que si on l'aime... que son amour pour l'autre dépend de l'amour de l'autre? « On peut pas s'forcer à aimer quelqu'un qui nous aime pas... Me semble que si Charles m'aimait, j'finirais bien par l'aimer moi aussi... À moins que c'est parce que j'aime encore Moïse... que j'ai pas d'place dans le cœur pour un autre... Me v'là mariée pour la vie... Quel gâchis! »

Quand Charles rentre, elle est déjà au lit et toutes les lumières de la maison sont éteintes. Pour la première fois depuis leur mariage, ce soir-là, il n'insiste pas sur ses droits.

Minie préfère orienter ses souvenirs vers des événements plus heureux. Plus heureux… Elle n'est plus du tout convaincue d'avoir arrêté le cheminement de sa mémoire sur le bon événement : la naissance de son premier enfant, sa seule fille, Denise. Autant cette naissance fut une grande joie, autant cette joie fut de courte durée : l'enfant mourut trois jours plus tard. Elle en a toujours voulu à sa sœur de cette mort.

Accouchée à la maison, Minie a demandé à Émérentienne de venir la « relever ». Forte de son expérience maternelle, celle-ci décide de laver le bébé d'un jour à la grande eau, sur la table de la cuisine. Minie ne voyait pas les choses ainsi, croyant qu'il aurait été plus prudent de le laver sans trop le dévêtir. L'enfant prend un refroidissement et contracte une pneumonie, qui l'emporte en moins de deux jours.

Le deuil est de courte durée, puisqu'une nouvelle grossesse est confirmée peu après. Ce premier garçon, c'est Joseph. Mais toujours, par la suite, Minie entretiendra dans son cœur le souvenir de Denise. Combien de fois, dans les années qui suivront, Minie souhaitera que Denise fût là !

∽

La petite famille habite toujours la Pointe-Saint-Charles. Charles éprouve des difficultés à se stabiliser au travail. Il a successivement été à l'emploi de quelques bijoutiers de Montréal, puis a envisagé de fonder une entreprise. Aidé de son frère Victor qui, entre-temps, est passé de l'agriculture aux affaires avec un certain succès, il ouvre une maison d'importation de pièces de montres et d'horloges : l'American Watch & Clock Co. Ce qui reste de la dot y est investi. L'aventure ne fait pas long feu. En moins d'un an, on doit fermer les portes. Au fil de ces déboires, Minie doit se rendre à l'évidence : le fait que Théophile ait remis la dot à son fiancé semble avoir bel et bien confirmé Charles dans son rôle d'unique chef de famille. Le conseil dont son père avait assorti celle-ci y est sans doute aussi pour quelque chose, mais à cette époque, elle ignore cette mise en garde de Théophile. Charles n'a donc aucun scrupule à décider de tout sans jamais consulter sa femme. Ainsi, depuis qu'ils sont mariés, il a fait une seule concession à Minie. Quelques mois avant son mariage, il s'était joint à la milice du 65e Régiment d'infanterie de l'Armée canadienne où, après une formation pertinente, il avait reçu ses galons de sergent-major ambulancier. L'hypothèse d'un conflit en Europe commençant à se répandre, Minie lui a demandé de démissionner, ce qu'il a accepté. Elle ne voulait pas se retrouver veuve de guerre.

❧

Un soir, donc, entre le bœuf à la mode et le dessert :
— J'me suis trouvé un nouvel emploi, pas mal plus payant.
— Ah oui ? Où ça ?
— À Valleyfield.
— J'ai déjà entendu le nom, mais c'est où au juste ?
— C'est à quarante-cinq milles passés La Prairie, sur le bord du fleuve. Y' a une nouvelle usine de guerre installée là. J'ai entendu dire qu'y' cherchaient un outilleur. J'suis allé au bureau de la compagnie, à Montréal. Y' m'ont engagé.
Un nuage plisse le front de Minie.
— Ça va nous éloigner encore plus de Saint-Liboire…
— …
Charles a retiré de son apprentissage à Boston une bonne notion des procédés manufacturiers, ce qui, ajouté à la méticulosité inhérente au métier d'horloger, en fait un technicien polyvalent. C'est d'ailleurs cette seule qualité qui le rend intéressant pour ses patrons car, quant au reste, il n'est pas d'un commerce facile : fier, sinon prétentieux, et rempli de susceptibilité, il est prompt à jeter la serviette et à envoyer paître ses patrons. Une divergence, une dispute même, entre lui et son patron actuel, serait-elle à l'origine de cette démarche ? Minie décide de ne pas fouiller de ce côté :
— Quand est-ce que tu commences ?

— Lundi prochain.

— Mais comment qu'on va s'organiser ?

— Ça s'ra pas compliqué. Le *boss* d'la compagnie m'a dit qu'y' connaissait des maisons d'pension où j'pourrais m'installer, le temps de trouver un loyer. Dans quinze jours tout au plus, tu devrais pouvoir venir me rejoindre, à Valleyfield.

Cette initiative de Charles n'émeut pas Minie outre mesure. Elle est consciente que depuis le début de cette guerre entre l'Allemagne, la France et l'Angleterre, les possibilités d'emploi se sont décuplées. Mais quinze jours, c'est tout de même court. Il y a un deuxième enfant maintenant dans la famille, le petit Victor, et elle est enceinte à nouveau. Elle ressent encore une légère frustration de ne pas avoir été consultée, mais elle doit reconnaître que cela n'aurait rien changé à la décision. D'avance, elle sait qu'elle comptera pour très peu dans le choix du futur logis.

Quand même, l'idée de quitter ce quartier bigarré et bruyant lui sourit. Elle n'y a pas trouvé le bonheur espéré et se dit que ce changement leur facilitera peut-être un nouveau départ.

La première semaine d'absence de Charles est, pour Minie, comme un semblant de vacances. Elle la consacre à elle-même et aux enfants, tout en commençant les préparatifs en vue du déménagement. Les petits pique-niques au bord du fleuve sont à l'ordre du jour. Joseph en raffole. Quant à Victor, il est trop jeune pour apprécier, mais il aime bien être au grand air. Et comme c'est bon de ne pas appréhender la rentrée de Charles, le soir venu, toujours inquiète de l'humeur dans laquelle elle le retrouvera. C'est agréable aussi d'avoir un grand lit tout à soi, sans devoir…

Lorsque Charles revient de sa première semaine d'ouvrage, il lui apprend, comme s'il s'agissait d'un fait divers, qu'il a loué un logis et qu'ils déménageront le dimanche suivant.

— Charly va v'nir nous donner un coup d'main, avec son *truck*.

— Le *truck* peut-y' embarquer le piano ?

— Ah oui ! c'est vrai… y' a l'piano. J'vas lui en parler.

76

Minie trouve Valleyfield agréable, d'une taille comparable à celle de Saint-Hyacinthe qu'elle connaît mieux, mais où elle n'a jamais vécu. La berge du fleuve, plus accessible et mieux conservée qu'à la Pointe-Saint-Charles, constitue un atout important : elle découvre le plaisir de marcher sur la rive avec ses deux petits, la joie de les voir poursuivre les pluviers et les bécasses ; la griserie de recevoir en pleine face le vent du large, de pouvoir plonger son regard dans l'infini du lac Saint-François. Tous ces petits riens deviennent, pour elle, autant de petites joies qui, mises bout à bout, compensent les déceptions de sa vie de couple. Mais l'épisode « Valleyfield » ne dure que quinze mois, au cours desquels naît le troisième fils : Henri.

C'est donc avec un rejeton de plus que les Beauregard s'installent à Verdun, rue Wellington. Ce nouveau déplacement est encore une initiative de Charles. Fort de sa courte expérience à Valleyfield, il est conscient d'être un technicien de plus en plus convoité. La rareté de la main-d'œuvre se fait sentir, puisque la plupart des jeunes hommes valides se sont enrôlés ou ont été conscrits. Misant sur cette conjoncture, Charles, qui à défaut d'être conciliant est intelligent, a décroché un emploi deux fois plus rémunérateur à Montréal : il devient surintendant de l'atelier d'outillage d'un important producteur d'obus. Comme l'usine est à proximité de Verdun, il a choisi de s'installer à cet endroit pour un second motif. Le séjour à Valleyfield l'a mis en relation avec des amateurs de régates. Ceux-ci l'ont trouvé utile comme mécanicien dépanneur. Au-delà de cette compétence, il s'est intéressé à la conception des embarcations et a développé des théories très avant-gardistes à ce sujet. Il veut vérifier ses hypothèses et poursuivre ce loisir quelque peu rémunérateur. Or, Verdun est également un haut lieu de sports nautiques. Ces succès professionnels ont quelque peu décontracté Charles, sans l'attendrir pour autant.

Minie, elle, s'est installée dans un régime fait de quotidienneté, de fausses-couches et de naissances successives. Elle ne peut s'empêcher de constater, lorsqu'elle s'y arrête, à quel point elle a perdu sa fougue et son enthousiasme de jeunesse. Elle ne comprend surtout pas comment elle en est venue à accepter sa situation sans regimber davantage. Minie ne voit vraiment pas de porte de sortie ; elle a fait un mauvais choix, c'est clair, mais elle se considère obligée d'accepter son sort. Elle se sent, comme la plupart de ses congénères, impuissante à y changer grand-chose. « Chacun a une croix à porter », aime-t-elle à se répéter. Sans être vraiment pieuse, elle se soumet au précepte de sa religion : faire des enfants, mais n'en retire pas de satisfaction particulière. Non que leur présence la rebute, elle les aime beaucoup, mais elle n'a pas d'énergie pour la joie.

Une chose l'attriste particulièrement : la distance et la distanciation de plus en plus accentuée entre elle et sa famille. Émérentienne et Charly habitent également Verdun, mais les relations entre les deux sœurs sont demeurées froides depuis la mort de Denise. On se voit occasionnellement mais sans grand épanchement. Se rappelant les mises en garde d'Émérentienne, avant son mariage, Minie se garde bien de lui faire trop de confidences. Déjà que, lors d'un récent voyage à Saint-Liboire, sa mère lui a fait une remarque sur ses yeux cernés et sur sa mine déconfite. Minie a dû concéder : « C'est les signes de l'amour qui s'débâtit p'tit à p'tit ! » La Noire avait préféré se taire. Cet incident a enlevé à Minie le goût de voir ses parents plus souvent, même si son père va de plus en plus mal. Elle a peu de nouvelles de Cyrille, qui besogne ferme sur la terre paternelle et encore moins de Camille, installé au Rhode Island. Il lui arrive de se rendre chez Joseph, qui habite un quartier rapproché, mais elle trouve Blanche, sa belle-sœur, trop curieuse, et difficile à maintenir à distance. Quant à Béatrice... Depuis son mariage, qui a suivi de peu celui de Minie, elle s'est satisfaite de quelques échanges de lettres. Minie n'a guère le goût d'étaler son désarroi, sans doute par fierté ; leur correspondance est donc vite devenue insipide et anémique. Elle le regrette, aujourd'hui, mais ne se décide pas à réagir, à faire les premiers pas. Minie se sent de plus en plus seule, de plus en plus isolée, au point où la charge des travaux domestiques prend une dimension salvatrice.

Pour se rendre au travail, Charles s'est acheté une moto-cyclette. Au-delà de cet usage, il lui arrive, le dimanche, de visiter ses frères et sœurs établis sur des fermes, au sud de Montréal. Évidemment, il n'est pas question pour Minie de participer à ces excursions : comment installer trois petits et leur mère sur une moto ? Elle reste sagement à la maison et profite au maximum de ces heures de détente.

C'est le calme plat. Les semaines et les mois se succèdent, laissant dans leur sillon un sentiment croissant d'insatisfaction. De plus, Minie ignore que la femme est capable de jouissance sexuelle ; là n'est donc pas la source de son insatisfaction profonde. Mais elle aimerait, alors que Charles la touche et qu'elle ressent une indéfinissable excitation, qu'il ait des gestes tendres, ou prononce quelques mots d'amour. Ces simples attentions la transporteraient au septième ciel, pense-t-elle. Mais, depuis l'incident du fauteuil, elle a fait une croix sur son besoin de tendresse. Et c'est là son vrai malheur.

5

Minie se revoit vers 1918. Ce printemps-là est particulièrement difficile. L'influenza, ou la « grippe espagnole », se répand dans tout l'Occident. Compte tenu des proportions de plus en plus dramatiques que prend l'épidémie, le moindre malaise éprouvé par quiconque plonge les proches dans l'angoisse. Joseph, l'aîné des enfants, attrape ce qui, fort heureusement, s'avère n'être qu'une simple rougeole. Rassurée, Minie craint tout de même que les autres y passent. Aussi a-t-elle redoublé d'efforts pour éviter la contagion. À présent, elle se sent complètement épuisée, d'autant plus que ce récent surmenage a provoqué une interruption de grossesse. Elle était enceinte de deux mois. Ce soir-là, elle remarque que Charles, chaste depuis une semaine par la force des choses, recommence à lui tourner autour.

— Charles, j'viens d'faire une fausse-couche y' a à peine cinq jours! Tu penses pas que tu pourrais me donner une p'tite chance? J'ai pas la force de r'partir pour la famille tout de suite de même.

— Si tu m'dis que tu *files* pas, j'insisterai pas pour à soir. Mais c'est pas que'qu'jours de plus ou que'qu'jours de moins qui vont changer grand-chose. Les enfants, on les fait pas quand on veut. Y' viennent tout seuls!

La moribonde éprouve un frisson d'horreur au souvenir de l'écart qui existait, cinquante ans auparavant, entre les connaissances de la science médicale et la réalité physiologique de la femme, plus particulièrement concernant le cycle ovulaire. Il serait plus juste de dire que les connaissances et la réalité s'opposaient.

❧

— Y' a des fois, Charles, j'trouve que ça' pas d'bon sens. Ça s'peut pas que l'bon Dieu nous d'mande, à nous autres les femmes, d'être toujours enceintes comme ça. Y' m'semble qu'y' doit ben y' avoir un moyen d'espacer ça un peu plus, sans faire de péché pour autant.

— Si y' avait un moyen, j's'rais ben d'accord pour qu'on l'prenne. Mais j'en connais pas, pis les curés, y' ont pas l'air d'en connaître non plus.

— As-tu r'gardé dans ton livre? Comment que ça s'ap-pelle déjà…

— *La Vie à deux*?

— Oui, justement. As-tu r'gardé si y' avait des chapitres sur ça?

— Ça commence à être pas mal loin. J'me souviens pas si y' en avait. J'peux ben le repasser, pour voir.

Et Charles tire le livre du Dr Surbled du fond du tiroir de sa commode, s'installe dans son fauteuil favori et se met à la recherche de renseignements utiles. La table des matières le renvoie au chapitre IX intitulé : « La fécondation ». Ce chapitre compte une quinzaine de pages. Il met un bon moment à le parcourir, puis :

— Y' a pas grand-chose d'utile là-d'dans. Les savants sont même pas d'accord entre eux autres. Tiens, tu peux le lire si ça t'tente. Mais pour moi, c'est une perte de temps.

— On sait ben, si c'était un problème de mécanique, ça t'intéresserait un peu plus. Mais y' s'agit juste de moi!

— C'est pas ben ben fin, c'que tu m'dis là, quand même. On dirait que tu cherches toujours la chicane.

— Excuse-moi, j'suis fatiguée. C'est peut-être pas fin d'la façon que je l'ai dit, mais j'le pense quand même. Et pis, j'cherche pas la chicane, on en a déjà assez comme ça! Laisse le livre sur la table, j'vas le lire aussitôt qu' j'ai fait ma toilette.

82

Minie consulte l'horloge : il est dix heures du soir, déjà. De toute façon, plus elle se couchera tard, plus elle aura la chance de s'en tirer. Elle lira lentement…

LA FÉCONDATION

[…] La femme n'est réglée que pendant la durée de son activité sexuelle ; elle ne l'est pas avant que l'ovaire n'ait acquis son entier développement et produit son premier ovule ; elle ne l'est plus dès qu'il cesse de fonctionner. Ce point de physiologie bien établi, on comprend aisément le fonctionnement de l'appareil utéro-ovarien. En même temps que le sang transsude à travers la muqueuse de l'utérus, s'accumule dans sa cavité et s'écoule lentement en dehors, l'ovule arrivé à maturité apparaît à la surface de l'ovaire, s'en détache et s'engage dans la trompe pour gagner l'utérus. Il est alors tout disposé à recevoir l'imprégnation des spermatozoïdes.

Les savants de cabinet ont conclu hâtivement de ces faits que la conception n'était possible qu'au moment des règles, dans les huit jours qui suivent […] Ce qui est incontestable et qui résulte à la fois de l'expérience des siècles et de l'enseignement avéré de la science contemporaine, c'est que la fécondation a les meilleures chances de se produire au voisinage des règles. Hippocrate est très net sur ce point : « La femme, dit-il, au commencement de ses règles, pourra user du coït, ou mieux encore à la fin, avant leur totale cessation. » Et, ailleurs : « Elle prendra pour règle de cohabiter avec son mari toujours vers la fin de ses règles, ou bien au commencement ; mais la fin est préférable. » Boerhave avait noté la même vérité sans s'en rendre compte : « Les femmes conçoivent à la fin de leurs règles et presque en aucun autre temps. »

[…] À la fin du cycle menstruel, toutes les conditions sont réunies pour la fécondation : la vésicule de Graaf est rompue, l'ovule mûr se trouve au niveau du pavillon de la trompe ou à peine engagé dans son canal, les spermatozoïdes ont la voie libre. Voilà, dit-on, le moment propice pour la fécondation.

[...] En résumé, la fécondation est toujours possible, mais elle demeure plus particulièrement facile avant et surtout après les règles. L'union conjugale veut la génération par la volupté qui s'y rattache et en fait l'attrait. Les rapports ont toujours pour but de concourir, de près ou de loin, à la procréation. Ne croyons pas tenir le secret de la paternité, le moyen d'avoir des enfants, et reconnaissons qu'il y a dans la conception une œuvre aussi mystérieuse que merveilleuse et dont nous ne sommes que les obscurs collaborateurs. Incapables de savoir quand l'acte conjugal est procréateur, nous le sommes aussi de dire le sexe du rejeton que la grossesse annonce. Nous ne pouvons déclarer avant l'accouchement si nous aurons une fille ou un garçon. Le secret de la procréation des sexes nous échappe absolument. Les recherches pour le découvrir ont été nombreuses de nos jours; elles ont toujours été vaines.

Minie referme le livre sur ses genoux et cherche à comprendre. Charles l'interroge du regard :

— J'ai lu le chapitre de ton livre. C'est vrai que ça semble pas clair, pis surtout pas sûr, mais paraîtrait que c'est juste après les règles que les femmes ont le plus de chances de partir pour la famille. Ça fait que ce serait au milieu du mois qu'on aurait le moins de chances que ça arrive. Tu penses pas?

— Peut-être ben, mais qu'est-ce que tu fais de tes principes religieux dans tout ça? Les prêtres le disent assez fort, qu'on n'a pas l'droit d'empêcher la famille.

— Ben moi, ma conscience me dit que j'ai pas l'droit de m'refuser à mon mari. Mais, si y' me d'mande pas... J'ai pas d'problème de conscience. Tu penses pas?

— Me d'mande pas, me d'mande pas... C'est plus facile à dire qu'à faire! J'suis pas plus heureux que toi de voir les enfants arriver les uns après les autres. Ça coûte cher pis on n'est pas riche. Mais de là à dire que j'pourrais arrêter de te d'mander pendant des semaines...

La guerre terminée, Charles réintègre le métier d'horloger. Après une période d'instabilité au cours de laquelle il change d'employeur à deux ou trois reprises, il est engagé par la maison Mappin & Webb Canada Limited - Jewellers and Silversmiths, une firme britannique ayant ouvert récemment une succursale à deux pas de la maison Henry Birks & Sons, son principal concurrent.

On l'affecte à l'entretien préventif et à la réparation à domicile des horloges de parquet, ou dont le déplacement comporterait des risques, vu leur valeur ou leur fragilité. À un salaire de base déjà intéressant, son employeur ajoute une compensation pour l'usage de sa motocyclette, ce qui renforce la fierté qu'il éprouve pour cet engin. Il consacre à ses « tournées d'horloges », comme il aime les appeler, la moitié de sa semaine, les travaux d'atelier lui prenant le reste. Sa clientèle se recrute principalement parmi la riche bourgeoisie anglophone de Westmount et du West Island. Cette période contribue à développer chez Charles une vive admiration pour cette élite sociale, confirmant de plus son anglophilie latente. Il se flatte, devant ses proches, de compter parmi ses clients le président du Canadien Pacifique , monsieur Angus, de même que plusieurs grands patrons d'entreprises nationales. Dans les discussions entre amis, relativement à l'unilinguisme des anglophones québécois de la classe moyenne, il cite avec fierté le président londonien de Mappin qui, à l'occasion d'une visite et dans un français impeccable, a fustigé les cadres de sa succursale montréalaise : « Je ne peux concevoir que vous ne soyez pas bilingues, alors que vous vivez dans une communauté canadienne-française à quatre-vingts pour cent! » Bien plus : devant une Minie interloquée, Charles se pâme d'admiration pour ces dames richissimes qui, par délicatesse, et afin de ne pas l'intimider, pense-t-il, lui servent personnellement le chocolat chaud et les biscuits, plutôt que de laisser leurs domestiques le faire. Il se vante même d'être reconnu par tous les chiens de race que ces maisons comptent!

85

Minie trouve étrange cet engouement, qu'elle juge excessif. Elle l'assimile à l'adulation de Charles pour les héros et plus particulièrement, pour les héroïnes d'opéras. Pour un peu, elle serait jalouse de ces dames, mais comme Charles semble lui rapporter tous les incidents, même les plus anodins, elle ne s'y arrête pas davantage.

౭౩

Un soir qu'il rentre du travail, Minie lui remet une lettre reçue la journée même. Elle en a remarqué la provenance, mais attend que Charles lui fasse part du contenu.

— Ça vient du Patronage...

— Oui, j'ai remarqué, mais qu'est-ce qu'ils veulent au juste? Ça fait longtemps que t'as pas reçu de lettre d'eux autres.

— Attends un peu que j'lise!

Minie se souvient qu'au début de leur mariage, Charles recevait parfois des communiqués et des invitations à différentes activités de ce foyer d'accueil où il avait séjourné, enfant. Mais il y avait plusieurs années que rien ne lui était parvenu.

— Ils veulent faire un conventum...

— Mais ça fait longtemps que t'avais pas eu de leurs nouvelles...

— C'était à cause de la guerre. Y' avaient suspendu leurs activités : y' en avait trop de partis au front... Bon, c'est le mois prochain... Bah! j'vas aller faire un tour!

Charles ne semble pas particulièrement ému ou enthousiaste. Il dépose la lettre sur la table.

— J'peux la lire?

— Si ça t'intéresse...

Minie parcourt la lettre. Un certain étonnement forme deux plis entre ses sourcils. Elle jette un coup d'œil à Charles, déjà absorbé dans son journal, et en achève la lecture.

— Tu m'avais pas dit que cette rencontre-là était mixte?

— Qu'est-ce que ça change?

— Ben... j'aimerais ça y aller avec toi!

Charles referme momentanément le journal, étonné :

— Qu'est-ce que c'est que tu f'rais là, peux-tu ben me l'dire ?

— Ben… y' m'semble que j'aimerais ça, voir où t'as vécu ta jeunesse… connaître les compagnons que t'avais… Combien d'années que t'as passées là, au juste ?

— Sept ans. On va y penser…

Minie juge préférable de ne pas insister. Elle attendra quelques jours. La rencontre n'a lieu que dans un mois, rien ne presse. Mais, quelque chose lui dit qu'elle en apprendrait plus sur son mari, en causant avec ses anciens camarades, qu'elle en a découvert en sept ans de mariage.

Quelques jours s'écoulent, puis :

— J'ai repensé à ça, Minie… Si tu y tiens toujours, c'est correct : tu peux venir avec moi, à la rencontre du Patronage.

— Ah ! ben là tu m'surprends, pis tu m'fais plaisir ! Qu'est-ce qui t'a fait changer d'idée donc ?

Minie remarque l'embarras de Charles.

— J'sais pas… À ben y penser, j'haïrais pas ça qu'y t'rencontrent. T'es encore ben tournée…

— Ah ! merci du compliment, Charles ! J'pense que c'est la première fois que tu m'en fais un depuis qu'on est mariés. Mais…

— Qu'est-ce que t'as… ? T'es pas contente ?

— Oui, oui, mais…

— Mais quoi ? Sors-le !

— J'voudrais que tu sois fier de moi…

— Ben, je l'suis, fier de toi ! J'viens de te l'dire. C'est quoi qu'tu veux de plus, au juste ? Tu sais qu'j'aime pas ça, les mystères !

— C'est pas un mystère ! C'est juste que depuis qu'on est mariés, on n'est pas sortis souvent et que… j'ai plus de robes qui m'font… À part ça, même si je leur faisais des pinces, y' sont plus ben ben à la mode… J'voudrais pas que t'aies honte de moi…

— Ouaïe… Combien que ça peut te coûter, une robe ?

— J'pense ben que j'pourrais me trouver quelque chose pour sept ou huit piastres…

— Sept ou huit piastres! Aïe! C'est la moitié de ma paye!

— Ben, si j'trouve quelque chose de convenable pour moins, j'demande pas mieux. Tu sais ben que j'ai pas l'habitude d'être déraisonnable, quand même!

— En tout cas, j'pourrai pas te donner c't argent-là avant deux semaines. Y' a le loyer à payer la semaine prochaine!

Minie se sent « aux p'tits oiseaux ». Pouvoir magasiner juste pour elle; se choisir une robe à son goût! À cette seule pensée, la voilà toute ragaillardie. Les deux semaines qui suivront lui paraîtront interminables.

෴

C'est sa première grande sortie depuis leur mariage. Charles a eu beau la prévenir que c'était une rencontre très simple, avec des gens on ne peut plus simples — tous d'origine modeste, il va sans dire — rien n'y fait. Minie est aussi excitée qu'une débutante à la veille de son premier bal. La rencontre est convoquée pour dix heures, ce dimanche matin. On reconduit les trois petits chez la voisine d'en bas et on saute dans le tramway Wellington. Pendant le trajet, Minie observe Charles. Il semble fier d'elle. Cette sortie, au bras de Charles, rappelle à Minie un certain soir de décembre, sur les trottoirs enneigés de Saint-Liboire. Un souvenir qui remonte à bientôt huit ans...

— Combien penses-tu qu'il va y avoir de monde, Charles?

— C'est difficile à dire. C'est la première fois qu'ils font une rencontre mixte. Les dernières rencontres où j'suis allé, on était à peu près soixante, soixante-quinze, en comptant les frères, bien entendu. J'pense pas qu'il va y avoir beaucoup de femmes.

— Ah non?

Ils descendent à la place d'Armes, dévalent la côte du même nom et atteignent rapidement la rue Côté, sur laquelle le Patronage est installé. Le grand portail de l'entrée principale franchi, Charles et Minie se dirigent vers la chapelle. La rencontre débutera par une messe, évidemment.

88

Puis on servira le déjeuner au réfectoire. Lorsque le couple pénètre dans la chapelle, une quarantaine de personnes, dont une dizaine de femmes au plus, s'y trouvent déjà, parlant à voix basse dans l'attente de l'officiant. À chaque nouvel arrivant, on se retourne pour voir de qui il s'agit. Quand c'est un ami, on lui fait un signe d'accueil. À la vue de Minie au bras de Charles, il y a, parmi les hommes surtout, des réactions de surprise, de surprise admirative espère Minie, mais peu de signes chaleureux, sauf de la part de deux individus, dont l'un est accompagné d'une jeune femme à l'air espiègle. Ils font signe à Charles de les rejoindre; il entraîne Minie à leurs côtés, dans le même banc. Les présentations se font à mi-voix :

— Minie... Alfred Gagnon, que tout le monde appelle « Fusil »... Ma femme...

— Enchanté, madame Beauregard... Ma femme, Claire...

— Bonjour, madame Gagnon. J'suis bien contente de vous connaître.

— Moi aussi. Vous pouvez m'appeler Claire, vous savez.

— Et l'autre... c'est « Ti-Paul », Paul Racette... Ma femme...

— Bonjour, monsieur Racette...

— Très heureux de faire votre connaissance, Madame...

On doit se taire, l'officiant et sa suite font leur entrée. Après un mot d'accueil, le père Maximilien Bessette, se borne à dire sa joie de retrouver son troupeau, après cette guerre affreuse qui emporta cinq anciens, morts au champ d'honneur. Il décline leurs noms, demande un moment de silence à leur mémoire et recommande à chacun d'offrir sa messe pour le repos de leur âme. L'office se déroule plutôt rapidement.

On se dirige ensuite vers le réfectoire, par petits groupes, dans un joyeux désordre. La plupart des anciens compagnons s'interpellent familièrement. Minie remarque que Charles ne lance pas beaucoup de salutations et n'en reçoit pas davantage. Claire Gagnon se faufile près de Minie et la prend par le bras.

— J'suis assez contente de vous rencontrer! Quand Fusil m'a proposé de l'accompagner, j'ai pas osé refuser, mais j'peux pas dire que ça m'tentait ben, ben! À part ça que d'sentir la pipe pis l'gros cigare toute la journée, c'est pas mon fort!

— C'est un peu comme pour moi. Au fait, vous pouvez m'appeler Minie, vous aussi.

— C'est un nom rare, mais j'trouve que c'est un beau nom.

— Ben, c'est pas mon vrai nom. C'est-à-dire que mon vrai nom, c'est Herminie. Mais depuis que j'suis haute comme ça que tout le monde m'appelle Minie. J'aime mieux ça, de toute façon.

— Ah bon! J'comprends... Ça fait combien de temps que vous êtes mariés déjà?

— Ben... ça va faire... sept ans bientôt. Et vous?

— Onze ans. Ouais, onze ans! On a trois enfants, deux filles, un garçon. Et vous?

— Onze ans, trois enfants, vous êtes raisonnables... J'aimerais donc ça qu'on soit raisonnables de même! On a trois garçons, mais j'ai perdu mon premier enfant, une fille, et j'ai fait trois fausses-couches... J'pense que j'suis encore r'partie...

— P'tit Jésus du Saint Esprit! Y' vous donne pas grand-vacances, le beau Charles!

On arrive au réfectoire, un réfectoire comme les autres, meublé de longues tables, placées parallèlement. Claire, tenant toujours Minie par le bras, décide de s'asseoir à côté de celle-ci. La conversation est trop bien engagée.

— Assoyez-vous en face, les hommes, qu'on puisse parler de vous autres tout en vous regardant! lance Claire.

— Dites-moi donc, Claire, vous l'aviez déjà rencontré, mon mari?

— Ben sûr! Fusil pis lui, y' s'entendent ben. Quand on était jeunes mariés, Charles venait faire son tour chaque fois qu'y' était en ville. Pas vrai, Charles? T'aimais ça v'nir faire ton tour, quand t'étais garçon.

— Ah oui! J'avais du temps, dans c'temps-là!

90

– Tu veux dire que t'avais pas de blonde! Ça tient occupé, une femme. Je l'ai appris à mes dépens! Pour dire le vrai, Charles, j'ai été pas mal surpris quand tu m'as dit que tu t'étais marié. T'avais pas l'air parti pour!

– Qu'est-ce que vous voulez dire par ça, Alfred?

– Ben, Charles, ça' toujours été un gars tranquille. Pas mal plus tranquille que moi, en tout cas! C'est pas lui qui a dévergondé le plus de filles en ville. On se demandait même, j'parle des anciens pensionnaires évidemment, si y' prendrait pas la bavette bleue!

– Sacré Alfred, va! T'exagères, comme d'habitude! C'est pas pour rien que tout le monde t'appelle Fusil. Toujours prêt à tirer sur n'importe quoi! Moi, entrer chez les Frères... Aïe!

– En tout cas, Charles, tu dois admettre que t'étais pas un gars comme les autres. Toujours sérieux; toujours plein d'principes : faut pas faire ci, faut pas faire ça! Ça t'est-y' déjà arrivé, Charles, de faire le fou, une fois dans ta vie? Hein?

– Ben, écoute, j'suis pas venu ici pour me confesser. Le passé, c'est l'passé!

Minie risque :

– Ben moi, j'trouve que c'est une bonne question. Ça été quoi, Charles, le coup le plus pendable que t'as fait? Ta plus grosse folie?

– Viens-t'en, Fusil, on va aller au fumoir. On a le temps d'tirer une pipe avant que not' tour d'aller garnir nos assiettes arrive!

– Wow! Charles, on est pas pour abandonner deux belles créatures de même! Si on part, on va peut-être s'les faire voler!

– Viens-t'en, viens-t'en!

Et Charles se lève, bien décidé à rompre cette conversation. Les deux femmes les regardent s'éloigner, un moment, avant de poursuivre l'échange. C'est Claire qui reprend :

– Comment tu t'arranges avec lui, Minie? Tu m'permets de te tutoyer, j'espère? Tu peux en faire autant.

– Ben oui, certain! Comment j'm'arrange? C'est une grosse question...

Minie hésite. Peut-elle se confier à Claire? Elle a éprouvé une sympathie spontanée pour cette inconnue mais se demande envers qui, Charles ou elle-même, Claire serait éventuellement la plus loyale.

– C'est pas facile... Je l'sais pas comment l'prendre. Y' m'semble que j'fais tout ce qu'une bonne épouse doit faire. J'tiens bien la maison, j'lui ai fait les enfants qu'y' voulait. Enfin, que j'pense qu'y' voulait... Des fois, à la façon qu'y' les traite, j'me l' demande! J'lui r'fuse rarement son droit... Pis, malgré tout ça, y' est rarement de bonne humeur.

– Ça m'fait de la peine d'entendre ça, mais... ça m'surprend pas tellement!

– Qu'est-ce que tu veux dire?

– Ben... J'ai toujours trouvé que Charles... il l'avait pas, avec les femmes...

– ...

– En tout cas, j'l'aurais pas marié! Ah! excuse-moi... J'veux pas dire que t'as fait un mauvais choix, mais... j'l'ai toujours trouvé froid... distant...

– Ah! ben là, tu t'trompes pas ben gros. Pour être froid et distant, comme tu dis, il l'est!

Et Minie se décide à raconter à Claire ses déboires de jeune mariée. L'incident du fauteuil, les échanges entre elle et Charles autour du livre du Dr Surbled, tout y passe. Elle s'étonne de pouvoir se confier aussi facilement à cette femme qu'elle ne connaissait même pas, une heure plus tôt. Mais sa confiance en elle croît à chaque minute. Minie s'avise alors, tout en se racontant, à quel point Béatrice lui manque et surtout, à quel point elle aurait besoin d'une sœur aînée, disponible, compréhensive. Mais elle ne peut compter sur Émérentienne pour remplir ce rôle.

– Ouaïe! Y' est encore plus constipé que mon Alfred! Tu sais, Minie, ces hommes-là, qui ont passé une partie de leur vie en orphelinat, y' sortent de là pis y' savent pas grand-chose des femmes. Alfred, y' est peut-être plus fanfaron que Charles, mais, quand on s'est mariés, y' tremblait dans ses culottes la première nuit. Si j'y' avais pas montré quoi faire, j'pense qu'on en serait encore là!

Et Claire éclate d'un rire si franc qu'il fait se retourner les autres invités.

— Ben justement, moi non plus, je l'savais pas quoi faire. Ça fait que ça pas été ben ben drôle, pis c'est pas plus drôle aujourd'hui.

La conversation marque un temps...

— C'est le genre de bonhomme qu'y' faut qu'une femme entreprenne, pis mette à sa main. T'as pas essayé?

— C'est facile à dire, mais quoi faire? Pis surtout, comment le faire? Y' s'laisse pas parler facilement, le grand Charles!

— ...

— Quand j'pense à quel point j'ai changé, depuis que j'suis mariée... Des fois, j' me reconnais plus!

— Qu'est-ce que tu veux dire?

— Quand j'étais fille, c'est pas les autres qui décidaient pour moi. J'ai toujours fait ce que j'voulais... ou presque... Ça' ben changé...

— ...

— J'ai voulu l'marier, j'suis pris avec, asteure...

— ...

— J'l'aimais pas assez, j'suppose... En fait, j'l'aimais pas. C'est aussi simple que ça! Pis quand j'ai r'connu mon erreur, ça m'a comme figée... C'est comme si j'avais perdu tous mes moyens. J'me laisse ballotter comme... une coquille de noix... Ouais! Comme une coquille de noix sur une bassine d'eau! J'suis pas plus grosse, pis pas plus importante que ça!

— Mais pourquoi que tu t'laisses aller comme ça, Minie? Y' faut que tu te r'prennes en main. Y' t'fait-t-y' peur?

— Plutôt, oui. Quand y' s'fâche, y' m'fait peur. Y' vient tout' les yeux sortis d'la tête. Ah! y' a jamais levé la main sur moi, mais... j'sens que des fois, ça passe proche!

— ...

— Y' est tellement fret pis sec!

— Ouais! C'est pas pour rien qu'y' est bon en mécanique! Faire l'acte, pour lui, c'est comme réparer une horloge, ça a ben l'air!

— Hé! C'est vrai ça! Ça m'avait jamais frappée. Mais ça a du bon sens... De la mécanique... J'suis rien que d'la mécanique pour lui...

— Mais, tu peux pas te laisser faire de même, Minie! Faudrait trouver une manière de l'amadouer. Y' doit ben avoir ses p'tits points faibles, quand même?

— À part un steak ou un rosbif saignant, j'y' en connais pas.

— J'pensais pas à la mangeaille. J'pensais à la couchette. Quand vous faites l'acte, y' doit ben avoir ses p'tites préférences? Que'qu'chose que tu lui ferais à certaines conditions... J'sais pas, moi, mais enfin... Y' doit y avoir moyen de trouver de quoi marchander? Un service en attire un autre, non? C'est comme ça que j'ai gagné Fusil.

— Ah, ben là! J'vois vraiment pas où qu' tu veux en venir. Qu'est-ce que tu veux que j'fasse dans la couchette, à part me laisser faire? C'est lui qui fait tout c'qu'y' veut, de toute façon!

— C'est sûr que c'est une manière de faire. Mais, c'est pas la seule...

— J'en connais pas d'autre!

— Quand tu dis que tu te laisses faire, ça veux-tu dire que tu le touches jamais? Que tu le cajoles pas?

— Ben, quand on s'est mariés, j'étais porté à le toucher, à m'approcher de lui. Mais... depuis qu'y' m'a repoussée, depuis l'affaire du fauteuil, j'suis plus capable... plus capable pantoute!

— Ouaïe! On est pas sorties du bois...

— ...

— J's'rais peut-être mieux de demander à Fusil de lui parler... si t'as pas d'objection, ben sûr!

— Au point qu'j'en suis... j'ai pas grand-chose à perdre. Mais y' faudrait pas que ton mari lui dise que ça vient de nous deux, hein?

— Ben non, voyons! Alfred va comprendre. J'm'en charge!

Et la conversation de bifurquer vers les enfants, les petits tracas quotidiens.

Les hommes revenant du fumoir, on se rend garnir ses assiettes au comptoir de la cuisine et la conversation prend une tournure enjouée, grâce surtout aux bons offices d'Alfred et de Claire. Charles, pris au jeu, se déride et surprend Minie avec des mots d'esprit et quelques blagues. Elle-même rit de bon cœur des frasques de dortoir que Fusil rappelle à son compagnon.

La rencontre s'achève. On se promet, de part et d'autre, de se donner des nouvelles et de se visiter. Les deux femmes s'embrassent et, discrètement, échangent une œillade.

⁊

Charles est parti un peu plus tôt ce matin-là. Sa tournée d'horloges est plus chargée que d'habitude. Elle compte une nouvelle cliente qui, selon ce que Charles en a dit, possède des horloges de grand prix. Il ne veut pas la décevoir. Il fallait donc que Minie prépare d'abord le déjeuner de son mari. Il n'est pas exigeant quant au menu : des rôties, accompagnées de pruneaux cuits par les bons soins de Minie, mais selon les indications de Charles, et un café. Si ce premier repas est relativement simple à préparer, Charles, par contre, s'attend à ce qu'il lui soit servi dès qu'il prend place à table. Les pruneaux servent à assurer sa régularité intestinale, un objectif qu'il place au cœur de ses préoccupations quotidiennes.

Minie se retrouve seule, avec les quatre petits. Il est huit heures et depuis une bonne demi-heure, ceux-ci manifestent leur impatience de manger. Pendant qu'elle réunit les ustensiles et les aliments nécessaires à la préparation du déjeuner, elle s'avise que, depuis sa rencontre avec Claire, ses pensées se dirigent plus souvent vers son mari. Une sorte d'interrogation a cours en elle, à son endroit : mieux comprendre cet homme, chercher l'explication de ses comportements, de sa distance, de sa froideur… Et la voilà qui se surprend à suivre Charles dans sa tournée d'horloges… Des yeux intérieurs l'accompagnent… Ça lui est facile, il la lui a si souvent décrite. Il arrive chez cette nouvelle cliente… Une riche célibataire, semble-t-il... Elle le voit, stoppant sa motocyclette devant une somptueuse demeure...

Il gare sa moto et grimpe lestement l'escalier de pierre, deux marches à la fois, comme il le fait toujours grâce à ses longues jambes. La domestique lui ouvre au même moment.

Elle l'a sans doute vu arriver, imagine Minie, souriant de la fécondité de son imagination :

— *Bonjour, Monsieur l'horloger! Entrez!*

— *Vous avez une bonne mémoire, Mademoiselle. Je ne savais pas que j'étais aussi facile à reconnaître!*

— *Pour être bien franche, c'est à cause de votre motocyclette. Il y a très peu de personnes qui arrivent ici par ce moyen!*

Minie pouffe d'un petit rire amusé, devant ce quiproquo qu'elle a inopinément fabriqué.

— *C'est pas nécessaire de me reconduire à la bibliothèque, Mademoiselle, je m'souviens du chemin.*

— *Très bien alors, je vous laisse à votre travail.*

À sa première visite, un examen sommaire de cette pendulette française avait révélé que la soie de suspension du balancier était brisée... Il ne s'agit pas d'une pièce de textile, mais plutôt d'une lame d'acier extrêmement mince, d'où sa fragilité. Elle est fixée par son extrémité supérieure au bâti de l'horloge, dont l'extrémité inférieure est munie d'une pièce de laiton conçue pour recevoir le crochet du pendule de l'horloge.

(Combien de fois Charles ne lui a-t-il pas fait la description de cette minuscule pièce et de l'importance capitale qu'elle revêt dans le bon fonctionnement du mécanisme? À ces occasions, Minie est toujours épatée, admirative même de son savoir, de sa conscience professionnelle et surtout, de son habileté manuelle... L'habileté... Comme elle souhaiterait que cette qualité ne soit pas limitée à l'horlogerie!)

Il étale sur le plancher une couverture matelassée, afin de ne pas rayer le parquet et y pose la pendulette. Il retire le mouvement de son boîtier et le dépose sur la couverture. Puis, il passe à l'étape principale du travail... À l'aide d'une pince, il retire la goupille qui retient la pièce brisée en place, se saisit de celle-ci et la compare à la demi-douzaine de pièces de rechange qu'il a apportées expressément. Il en trouve une identique quant au profil. Pour plus d'assurance, il dégaine son micromètre et compare l'épaisseur des lames d'acier respectives. Elles ont exactement la même épaisseur.

(Le micromètre… Minie se souvient de la démonstration que Charles lui avait faite de cet appareil de mesure. C'était au cours de l'une de ces rares journées où il était plus détendu, plus réceptif que d'habitude. Il lui avait alors expliqué le fonctionnement du micromètre en comparant, à l'aide de cet appareil, les diamètres de leurs cheveux respectifs. Minie se rappelle que ses cheveux étaient beaucoup plus fins que ceux de Charles…)

Tout va bien. Il met en place la suspension de rechange… Il pousse la conscience professionnelle jusqu'à déposer une goutte d'huile fraîche sur chacun des pivots du rouage, ainsi que sur les levées de l'ancre d'échappement à l'aide d'un huilier-réservoir, qu'il porte constamment dans sa poche de gilet. Il déclenche manuellement la sonnerie pour en vérifier le bon fonctionnement, rajuste au point optimal de chute l'action de l'échappement et se prépare à remonter l'ensemble.

(Cette routine du métier, Minie la connaît pour avoir, souvent, observé Charles à la dérobée, et apprécié la maîtrise, voire l'élégance des gestes.)

Minie poursuit son cinéma intérieur et passe à une autre étape de la visite, qu'elle ne connaît pas encore, mais qu'elle appréhende un peu, et pour cause… Cela laisse plus de place à son imagination…

Le travail de Charles est interrompu par l'entrée de Madame, portant un plateau sur lequel reposent une théière fumante, deux tasses, un sucrier, un pot de lait et quelques tranches de gâteau aux fruits.
— Bonjour, Monsieur l'horloger !

— Bonjour, Madame.

— Alors? Pensez-vous en venir à bout cette fois-ci?

— Aucun doute, Madame, aucun doute. J'ai presque terminé.

— Reposez-vous quelques instants. Je vous apporte une petite collation. Vous me permettez de la partager avec vous?

— Mais, je vous en prie, Madame, vous me faites beaucoup d'honneur.

Charles paraît flatté... Pas étonnant; il a toujours préféré l'admiration des patrons à celle des serviteurs.

Il jette un rapide coup d'œil à sa montre, histoire de s'assurer qu'il aura le temps de terminer la mise au point de la pendulette, après la collation. Puis, tout aussi rapidement, il achève de remonter la pendulette et de ranger sommairement ses outils. Pendant ce temps, Madame installe le plateau sur un guéridon, flanqué de deux bergères, et verse le thé.

— Allez, goûtez de ce gâteau! Vous m'en direz des nouvelles. Je l'ai fait moi-même : ça ne m'arrive pas souvent. Ha! ha! Profitez-en... Votre femme aime-t-elle faire la cuisine?

— Oui, et elle est bonne cuisinière.

— Quel est votre plat préféré?

— Le rosbif. Un bon rosbif saignant. Ma femme le prépare à mon goût, accompagné d'une sauce aux oignons et aux tomates, de patates pilées. C'est bon! Votre gâteau aussi.

— Merci! Ça remonte à quand, votre mariage?

— Heu... Sept ans, oui, sept ans. Très très bon, votre gâteau...

— Merci encore. Et vous avez des enfants?

— Oui, mais oui, trois. Trois garçons. Le plus vieux aura six ans bientôt. Il commence l'école en septembre prochain.

— Parlez-moi de votre femme... Tenez : décrivez-la moi. Comment est-elle? Brune? Blonde? Petite? Grande?

— Euh... Elle est plutôt petite. Elle fait un peu plus de cinq pieds, j'dirais... Assez bien proportionnée... Elle a les cheveux noirs...

— Comment s'appelle-t-elle?

— Herminie, mais tout l'monde l'appelle Minie. Elle aime mieux ça.

— C'est gentil, Minie, c'est chaleureux. Ses yeux... comment sont ses yeux?

— Bruns! Oui, bruns. Et plutôt rieurs. Elle aime bien rire. Avec les autres surtout...

— Que voulez-vous dire? Elle ne rit pas avec vous?

— Elle me trouve trop sérieux. Déjà, elle essayait de m'faire rire, mais ça marchait pas. J'ai pas le rire facile. Ça fait que... J'imagine qu'elle a arrêté d'essayer...

— Avez-vous toujours été ainsi? C'est-à-dire, sérieux?

— J'dirais que oui. C'est drôle, c'est la première fois qu'on me pose la question...

— Dites-moi, j'ai besoin de savoir... Êtes-vous aussi heureux qu'au premier jour, après sept ans de mariage?

— Oh! C'est une question compliquée...

— Ah! ah! N'est-ce pas plutôt votre réponse qui semble l'être?

— Ben... la réponse, c'est plutôt oui, parce que quand j'me suis marié, j' m'étais pas fait d'illusions. Mais c'est quand même plus compliqué que je l'pensais.

— Mais que voulez-vous dire au juste par : « Je ne m'étais pas fait d'illusions »?

— Ben, c'est que j'ai toujours vu l'mariage comme une forme de vie parmi d'autres. Les autres, c'est soit la vie religieuse — celle-là, j'y ai jamais pensé ben ben longtemps — ou le célibat. Le célibat, y' a pas cinquante-six façons de l'vivre. On est un célibataire chaste, pis là, aussi ben entrer en religion, ou on est un célibataire courailleux, pis là, c'est l'enfer sur terre tôt ou tard, avant celui de l'aut'bord! Pour moi, c'était clair que le mariage m'attirait plus que ces modes de vie-là. Mais... à voir comment les couples mariés s'débrouillaient, par la suite, j'me disais ben que ça devait pas être aussi facile que ça en avait l'air. C'est dire que le mariage, ça se passe à deux. On a beau avoir de bonnes intentions, y' faut que l'autre partage notre façon de voir. Autrement, on tire chacun d'son côté.

— Vous dites ça comme si ça devait aller à sens unique. Vous ne vous sentez pas prêt à partager la façon de voir de votre femme?

Charles, sans perdre son sourire, feint d'être contrarié.

– *Aïe! Vous êtes curieuse vrai, vous! J'me penserais devant l'tribunal!*

La tentative de diversion de Charles tombe à plat. Madame semble très bien savoir où elle veut aller, avec ses questions.

– *Si je vous suis bien, l'entreprise est plus compliquée que vous ne l'aviez prévu. C'est bien ça?*

– *Oui, c'est ça.*

Minie fronce les sourcils. Étonnée du cheminement de son imagination, elle hésite… Mais elle est rendue trop loin. Elle doit laisser sa mise en scène atteindre son dénouement…

Regardant Charles droit dans les yeux, Madame affiche une expression de patience indéfectible et attend. Charles, après une réaction de surprise vite surmontée, se décontracte et poursuit :

– *Le difficile, c'est de s'comprendre… Y' a des fois où j'ai l'impression qu'on n'habite pas la même planète, ma femme et moi.*

– *Ah?*

– *J'ai l'impression qu'elle attend aut'chose… Aut'chose, mais j'sais pas quoi! J'ai l'impression qu'elle est pas contente de moi.*

– *Lui avez-vous déjà dit ça? Comme vous me le dites?*

– *Non. Ben non, voyons!*

– *Pourquoi? Il me semble que ça pourrait être le début d'une conversation intéressante… Depuis quand pensez-vous ça?*

– *Euh… depuis qu'on est mariés.*

– *C'est dire que vous n'êtes pas plus avancés, de part et d'autre, qu'au lendemain de vos noces!*

– *On pourrait dire ça… Oui, on pourrait presque dire ça.*

– *Et… ça vous rend malheureux?*

– *Ben… mettez-vous à ma place. Quand vot' femme part à pleurer pour un rien, sans que vous sachiez pourquoi, que vous lui demandez c'qu'elle a pis qu'elle vous l' dit pas, c'est pas ben ben drôle!*

– *Mais, par contre, trois enfants en sept ans de mariage, c'est assez pour venir à bout de la résistance de n' importe qui! Elle est peut-être épuisée. Vous ne pensez pas?*

– *Pour tout vous dire, Madame, c'est plus que trois enfants… Elle a perdu son premier après trois jours, et elle a fait deux fausses-couches entre-temps.*

— Oh la la! Cherchez pas, mon pauvre ami, votre femme est complètement épuisée, c'est sûr! A-t-elle de l'aide à la maison? Une femme de ménage?

— On n'a pas ces moyens-là.

— Mais vous-même, l'aidez-vous à la maison? Le soir, par exemple, après le souper, faites-vous la vaisselle? Un peu de ménage?

— Ben… le soir, j'ai souvent du travail d'horlogerie à faire. J'ai un établi à la maison et j'ai une clientèle personnelle : des voisins, des parents.

— Et quand votre épouse a terminé ses travaux, couché les enfants, vous reste-t-il un peu de temps pour vous parler?

— D'habitude, après le souper, je fais les réparations que j'ai à faire. Des fois, ça me mène tard. Souvent j'me couche, elle est déjà au lit.

— Vous ne vous parlez pas beaucoup, à ce que je vois.

— Non, pas beaucoup. Le dimanche, des fois.

— …

— On se parle pendant le souper, quand même!

— De quoi parlez-vous? Je devrais plutôt demander : lequel parle le plus?

— Ben… Pour être honnête, j'pense que j'parle plus qu'elle.

— Et de quoi lui parlez-vous?

— De ma journée de travail. Surtout quand j'fais des tournées d'horloges. Elle a l'air d'aimer ça, quand j'lui raconte comment c'est dans la maison de mes clients.

— Et demandez-vous à votre femme de vous raconter ses journées, à la maison?

— Non. Mais je l'ai jamais empêchée de l'faire.

— Aimeriez-vous faire la vie qu'elle fait? Qu'en pensez-vous?

— J'suis pas une femme, quand même!

— Ah? Parce que pour vous, il est normal qu'une femme passe ses journées à torcher des enfants et à laver tout ce linge, y compris celui de son mari; à s'assurer que le souper est prêt quand il arrive? Il est normal que sa journée de travail se termine à l'heure d'aller au lit, sans même avoir le réconfort de partager ses petites et grandes misères avec celui qu'elle a choisi?

— …

101

— *Écoutez-moi, Monsieur l'horloger, que faites-vous en ce moment, hein?*

— *...*

— *Nous causons, et je suis sûr que vous trouvez cela plaisant. Autrement vous seriez déjà parti. Non? Pourquoi trouvez-vous cela plaisant? Parce que je peux vous causer de bien des choses et que j'en ai le temps. Si j'avais trois enfants et aucun domestique, nous ne serions pas ici à collationner ensemble. Réfléchissez un peu, Monsieur l'horloger. Si vous ne courez pas les occasions de parler avec votre épouse, c'est que vous ne la trouvez plus intéressante. Et pourquoi n'est-elle plus intéressante? Parce qu'elle n'a ni le temps ni la possibilité de se tenir au courant de ce qui se passe en dehors de chez elle. Et pourquoi les choses sont-elles ainsi? Tout simplement parce que vous lui faites des enfants sans répit.*

— *Hé! Là, vous embarquez sur un terrain que j'aime pas ben ben! Y' a une différence entre ce qui doit s'passer dans la chambre d'un couple marié, d'un couple... honnête et c'qui s'passe... c'qui passe peut-être chez vous!*

Minie imagine Charles se redressant; Madame, elle, n'a pas bougé. Elle attend que Charles vienne se rasseoir, ce qu'il fait effectivement...

— *Je pourrais considérer votre réaction comme une grave insulte. Mais, je sais qu'elle ne se voulait pas méchante.*

Madame marque un temps, puis :

— *Monsieur l'horloger, vous vous dites malheureux de voir votre femme malheureuse et pourtant, vous ne tentez rien pour briser ce cercle vicieux. Vous laissez aller les choses comme une fatalité. Pouvez-vous me dire pourquoi vous agissez ainsi?*

— *...*

— *Je vais vous le dire, moi : je crois que vous avez peur des femmes. Autant elles paraissent exercer sur vous une forte attraction, autant vous vous en méfiez. Vous me semblez incapable d'être vraiment à l'aise avec elles. La solution à votre problème, vous l'avez donc trouvée dans le mariage et dans la famille, qui rend votre épouse tout à fait inoffensive, démunie, pas du tout exigeante. Ainsi, vous pouvez continuer à vivre sous votre carapace, sans jamais être remis en question. Et vous vous dites malheureux? Je ne vous crois pas, Monsieur l'horloger!*

Madame se lève, Charles l'imite ; elle lui tend la main :

— Si vous êtes vraiment intéressé à améliorer votre vie de couple, soyez plus attentif à votre femme, Monsieur l'horloger. Je suis convaincue qu'Herminie vaut mieux que ça ! Allez ! Bonne journée à vous !

Madame pivote rapidement sur elle-même et quitte la bibliothèque, laissant sur place un Charles désemparé, qui n'a même pas la présence d'esprit de lui dire au revoir...

— Quand est-ce qu'on mange, maman ? J'ai faim !

— Du lait, m'man !

— Mmm ! Mmm ! Mah !

Minie est tirée de sa rêverie... Il était temps : la *soupane* commençait à coller au chaudron !

Les enfants gavés, elle s'approche de la glace de la salle de bain et s'examine avec un regard critique. Elle se trouve moins séduisante qu'avant son mariage. Sûrement moins que la dame de sa rêverie... Elle a maigri, les yeux sont plus ternes, la flamme de la jeunesse est en voie d'en disparaître. Et pourtant, Charles semble tout autant la désirer ou se satisfaire d'elle...

Elle repasse dans sa tête le film que son imagination lui a projeté, où « Madame » a dit à Charles tout ce qu'elle aimerait lui dire elle-même. Mais elle s'en sait incapable. De plus en plus consciente de l'impuissance qui la paralyse face au cours qu'a pris son destin, elle retourne à ses chaudrons sales, un peu plus lasse qu'avant.

❧

— T'as pas grand-jasette à soir, Charles. Y'a-t-y' que'qu'chose qui a pas tourné à ton goût aujourd'hui ?

— Non... Non, non ! Ah ! au fait, tu sais pas avec qui qu'j'ai parlé, aujourd'hui ?

— Ben non, c't'affaire !

— Fusil ! Tu sais, Alfred, Alfred Gagnon que t'as rencontré au Patronage, le mois passé.

— Oui, oui ! j'm'en souviens bien. Comment que ça se fait que tu l'as vu ?

— Ben, y' est arrêté chez Mappin. Y' s'adonnait à passer devant, qu'y' m'a dit, y' est entré. J'étais justement en train de manger mon lunch. On a jasé une vingtaine de minutes.

— De quoi vous avez jasé?

— Ah! de tout pis de rien! Y' voudrait qu'on aille veiller chez eux, un bon samedi soir. Y' m'a même offert de nous envoyer sa plus grande pour garder.

— Aïe! C'est une bonne idée, ça! J'ai trouvé sa femme bien gentille. Elle va bien?

— Ça doit. On n'en a pas parlé spécialement. Il va lui demander de t'appeler, pour décider quel soir on ira.

Minie se hâte de desservir pour ne pas laisser paraître son excitation. Se pourrait-il que Claire ait envoyé Alfred en mission auprès de Charles? Cette nouvelle amitié serait-elle le début d'un nouvel épisode, dans leur vie de couple?

— J'ai hâte qu'elle m'appelle. J'aimerais ça la connaître un peu plus.

Charles rejoint son fauteuil afin de poursuivre la lecture du journal.

Quinze minutes plus tard, il se dirige vers son banc d'horloger, installé dans le corridor de la maison.

— Hé! Joseph! Viens voir ton père, une minute.

— Qu'est-ce que tu veux, papa?

— Tiens, approche. Monte sur le p'tit banc, à côté de moi, pis tu vas m'aider. Un garçon qui va à l'école, y' est assez grand pour commencer à apprendre le métier d'horloger. C'est à soir que ça commence!

— Hourra! Qu'est-ce qu'y' faut que j'fasse?

— J'vas te l'dire en temps et lieu. Y' faut d'abord que j'm'assure que t'as le talent pour ça. C'est pas tout le monde qui peut devenir horloger. Ça prend des qualités spéciales. Une bonne main, surtout. Tiens, pour commencer, tu vas passer un test.

Charles détache le poignet de sa manche de chemise et la remonte en haut du coude. Il pose ensuite son avant-bras velu sur le rebord de l'établi, entre lui et son aîné.

— Tu vas allonger tes doigts, collés ensemble, pis tu vas toucher aux poils de mon bras, mais sans toucher à mon bras.

Et Joseph de froncer les sourcils tant il se concentre, et de faire le geste commandé.

— Ça va bien. Continue le mouvement de va-et-vient… Essaie de t'approcher le plus possible de mon bras, mais touches-y pas!

Joseph se mordille les lèvres, fronce davantage les sourcils et penche la tête, pour bien voir la distance à maintenir entre ses doigts et le bras de son père, pendant qu'il va et vient sur les poils gris de Charles.

— C'est bon… Ça va. T'as réussi le premier test!

— Hourra! Qu'est-ce que j'fais après?

— Tu vois ce bocal-là? Ben, dedans, y' a de la benzine.

— Qu'est-ce que c'est, de la benzine?

— C'est un sous-produit du pétrole. Le *gaz* qu'on met dans les automobiles, pour les faire marcher, c'est aussi un sous-produit du pétrole. Les horlogers se servent de la benzine pour nettoyer les pièces des montres et des horloges. C'est plus pur que le gaz, c'est plus propre. Y' faut jamais faire craquer une allumette près de c'bocal-là, ça pourrait prendre en feu ou même, faire explosion!

— Ah bon! Pis qu'est-ce qu'y' faut que j'fasse avec?

— Tu vas prendre la vieille brosse à dents qui est là, pis tu vas nettoyer les roues de l'horloge que j'viens de démonter. Tu vois, elles sont tout' graisseuses et malpropres. Il faut que tu les rendes belles comme des neuves. J'vas en faire une devant toi pour te montrer, pis tu continueras tout seul. Tu veux?

— Oui!

— Tu vois… c'est comme ça qu'y' faut faire. À ton tour asteure. Fais attention pour pas trop en faire r'voler partout, hein?

Joseph se met sérieusement à la tâche. Son père s'occupe à d'autres travaux, tout à côté, et lui jette un coup d'œil occasionnel. Il est surtout attentif à la façon dont Joseph s'y prend; il guette tous les signes pouvant indiquer la présence ou l'absence d'une dextérité intuitive, naturelle. La priorité, pour Charles, est de déterminer s'il « l'a » ou s'il « l'a pas »! Au fur et à mesure que progresse l'expérience, le visage de Charles s'épanouit en un sourire qui va s'élargissant.

– Hé! Minie! Joseph, il l'a! Si ça dépend rien qu'de moi, y' va faire un bon horloger, tu vas voir ça!

Minie, Victor le cadet sur les talons, s'est approchée des partenaires et sourit à son aîné.

– R'garde, maman, c'est moi qui les ai toutes nettoyées. Elles sont propres, hein?

Le père et le fils se regardent, tout sourires, fiers l'un de l'autre.

– Moi aussi, j'veux l'faire, papa.

– T'es encore un peu jeune, Victor. On va attendre à l'année prochaine. Quand tu iras à l'école, ça va?

– Non! C'est tout d'suite bon!

– Ton père t'a dit l'année prochaine. Achale-le pas, là. Viens-t'en dans la cuisine. On va les laisser travailler.

La soirée s'achève dans le calme. Une certaine paix semble se répandre sur la maisonnée. Elle est même palpable, pense Minie.

Au moment de se mettre au lit, Charles, tout en retirant son pantalon :

– Comment que ça va, de ce temps-là, avec les enfants pis tout ton barda?

Minie, surprise, se retourne et regarde Charles.

– Pourquoi que tu me demandes ça, Charles? C'est la première fois que tu me poses une question de même!

– C'est juste que j'me disais que tu dois en avoir plein les bras de trois p'tits. J' te trouve fatiguée des fois, pis j'peux l'comprendre. Faudrait peut-être qu'on essaye un peu plus de les espacer.

– « On » essaye, « on » essaye… J'aurais pas grand-misère à essayer, quant à moi! Mais on peut pas dire qu'on a ben ben essayé, à date.

– C'est ça que j'veux dire. Qu'on essaye plus qu'on a essayé… C'que j'veux dire, c'est que j'vas moins t'achaler avec ça, pis que j'vas attendre le milieu du mois, comme y' semblaient le suggérer dans mon livre.

Et Charles, sans doute embarrassé, mais fier de lui, se glisse entre les draps et se détourne, pour ne pas avoir à soutenir le regard interrogateur de Minie. Celle-ci se couche à son tour : « Merci, Charles. Ça me touche beaucoup que tu aies pensé à ça. Merci ! ». Elle avance les mains, hésite, et se décide à lui caresser la nuque, timidement, du bout des doigts. Charles ne bronche pas.

ↄ

Minie et Charles sonnent à la porte de Claire et Alfred. Cette première rencontre rend Minie très appréhensive. Elle fait confiance à Claire, mais s'interroge sur le déroulement à venir des conversations. Elle doit reconnaître se sentir très peu inspirée, à ce sujet. De devoir parler devant Charles l'intimide beaucoup. Elle craint ses réactions et se censure constamment. Où est donc passée sa spontanéité de jadis, se demande-t-elle ? La porte s'ouvre.

– Bonsoir, vous deux ! Hé ! C'est plaisant de vous revoir, comme ça ! Entrez, restez pas su' l'perron.

Et Claire s'écarte un peu pour faciliter l'accès aux visiteurs. Alfred rejoint sa femme, dans le corridor.

– Salut, Charles ! Bonsoir Minie ; approche que j't'embrasse !

– Eh, ben ! Vous perdez pas de temps, vous !

– Ben, pour l'amour, arrête de m'dire vous gros comme le bras !

Et Fusil saisit Minie par la taille et lui plaque sur la bouche un baiser sonore.

– Ouaïe ! Va falloir que j'te surveille, mon Alfred ! lance Charles, sur un ton qui se veut enjoué. Viens, Claire, qu'on se r'venge !

Et Claire reçoit de Charles un baiser sur la joue qui, de toute évidence, la laisse déficitaire !

– Entrez, entrez ! J'étais en train de préparer les plus jeunes à se coucher. Alfred va vous tenir compagnie, le temps que j'achève.

— J'peux y aller avec toi, Claire? J'aimerais ça voir tes enfants!

— Ben sûr! Viens-t'en!

Et les deux femmes de se diriger vers l'arrière du logis, où les chambres sont situées, et d'où proviennent les bruits d'un début d'altercation. Les deux hommes s'installent au salon.

— Et puis, mon Charles, qu'est-ce qui t'arrive de bon de c'temps-là?

— Rien de spécial. Toujours le même train-train.

Les deux anciens compagnons devisent de tout et de rien, tout en tirant des volutes de fumée de leurs cigares. Il s'écoule bien une demi-heure, avant que les femmes ne les rejoignent et qu'on décide de s'installer autour de la table, afin d'entreprendre une partie de « 500 ». Minie joue avec Alfred, contre Claire et Charles, évidemment. Cette disposition permet à Alfred de rejoindre les cuisses de sa femme, par-dessous la table, et de poser des gestes que celle-ci ne peut laisser longtemps passer inaperçus.

— Non, mais! Y'est-tu tannant, rien qu'un peu? Arrête!

— Ben voyons, ma femme, fâche-toi pas. Tu sais ben que tu m'fais encore de l'effet, pis que j'peux pas t'résister! Hé! C'est-y' beau une belle créature, hein, Charles?

Charles, un vague sourire aux lèvres, fait rouler son cigare d'un côté à l'autre de sa bouche, par le simple jeu de ses lèvres, sans autrement réagir.

— Des vrais amoureux, tu trouves pas, Charles? On dirait jamais qu'ça fait onze ans qu'y' sont mariés!

— Pour être tannant, Fusil, il l'est. Mais j'm'en plains pas. Heureusement qu'y' m'achale pluss' comme ça que dans le lit! Autrement, c'est pas trois qu'on aurait, ça serait au moins huit! Au lieu d'avoir rien qu'des mauvais plans dans la tête, Fusil, prépare-nous donc que'qu'chose à boire.

— Ah! ça c'est une bonne idée, mais un empêche pas l'autre! Qu'est-ce que vous aimeriez boire, les femmes? Un p'tit verre de vin doux, un sherry?

Et Alfred de continuer à caresser sa femme de plus belle : baisers dans le cou, sur les oreilles… Claire feint l'impatience, mais tout son visage exprime le contraire. Les femmes acceptent l'offre d'un sherry.

— Pis toi, mon Charles, un p'tit rye?

— C'est bon, mais avec un verre d'eau à côté.

Minie essaie de deviner ce qui se passe dans la tête de son mari. Elle est convaincue qu'Alfred en met plus que d'habitude, juste pour faire une démonstration à Charles. Elle décide d'entrer dans le jeu et, se levant :

— Y' a pas rien que les hommes qui aiment ça, minoucher. Moi, j'aime bien ça jouer dans le cou de Charles, comme ça…

Et Minie de faire ce qu'elle n'avait pas réussi, sept ans plus tôt, assise sur le bras du fauteuil… Charles ne bronche pas, mais ses lèvres se raidissent sensiblement. Le cigare se déplace d'un côté à l'autre de sa bouche plus rapidement. N'y tenant plus :

— Arrête donc, Minie, tu me déconcentres.

— Ben non! Continue, Minie, on va pouvoir les battre!

— Toi, Alfred, mêle-toi pas de ça! À part de ça, qu'est-ce qui t'prend, à soir? On dirait un vrai matou en chaleur! C'est pas la première fois que j'veille chez vous, pis j't'ai jamais vu d'même!

— Ben voyons, Charles, j'pouvais pas m'permettre de caresser ma femme devant toi, quand t'étais garçon. Tu s'rais parti avec un mal de ventre! Tandis que là…

Malgré l'air contrarié de Charles, les Gagnon rient de bon cœur et le jeu reprend dès qu'Alfred a distribué les boissons demandées.

❧

La soirée terminée, sur le chemin du retour, Minie se sent moins brave. Elle appréhende la réaction de Charles.

— Ça' été une ben belle soirée… tu trouves pas, Charles?

— Quand on jouait aux cartes, ça pouvait aller. Mais des niaiseries comme Fusil s'est permis d'faire… Pis toi par-dessus le marché qui embarque dans ça! Qu'est-ce que t'avais d'affaire à faire une folle de toi de même?

— Ben voyons, Charles, on s'amusait. Y' a rien d'mal là-d'dans! On s'amuse pas si souvent que ça. Me semble que ça fait du bien de rire un peu.

— C'est ça! Continue à parler d'même, pis le monde va penser que tu fais une vie plate; que c'est l'enfer dans not'maison; que j'te martyrise peut-être?

— Ben là, y' m'semble que t'exagères un peu, non?

— J'exagère pas. Les intimités, c'est les intimités. On fait pas, dans un salon, c'qu'on fait dans la chambre à coucher!

— Ben, justement, c'que j'ai fait, on l'fait pas dans la chambre à coucher! On devrait peut-être commencer par là? À ce moment-là, j'aurais pas besoin de le faire devant les autres; j'aurais pas besoin de faire semblant qu'on est comme tout le monde!

— Là, Minie, tu passes les bornes! J'en ai assez entendu pour à soir! Tais-toi, t'as compris? Pis dis-toi ben que c'était la première pis la dernière fois qu'on veillait chez eux! Des niaiseries d'même, moi, j'endure pas ça! C'est fini!

Et Minie regrette déjà son audace. La porte qu'elle croyait avoir ent'rouverte se referme, irrémédiablement. Une autre tentative ratée!

☙

Le lendemain, seule dans son logis, Minie a le vague à l'âme. Elle arrive difficilement à faire le strict nécessaire. Elle va et vient, dans la maison, « comme une âme en peine », pense-t-elle. Machinalement, elle ouvre le couvercle du banc du piano et parcourt la pile de musique en feuilles qui s'y trouve. Son choix s'arrête sur une mélodie qu'elle chantait, à Saint-Liboire… il y a déjà tellement longtemps! C'est une valse sur un poème larmoyant. Les paroles lui semblaient alors d'un sentimentalisme ridicule; une valse triste, dans un style que Sibelius a rendu populaire. Elle s'assoit, ouvre la partition, joue l'introduction et commence, d'une voix chevrotante :

Lorsque tout est fini, quand se meurt votre beau rêve
Pourquoi pleurer les jours enfuis, regretter les songes partis
Les baisers sont flétris, le roman vite s'achève
Pourtant le cœur n'est pas guéri, quand tout est fini.

On fait serment, en sa folie, de s'adorer longtemps, longtemps
On est charmant, elle est jolie. C'est par un soir de gai print…

La voix casse… Seul, le piano continue…

6

JOSEPH, l'aîné, est maintenant en troisième année. Il assiste Charles de plus en plus dans la réparation des horloges, que les gens du quartier apportent à l'atelier. Il vient de rentrer de l'école et se souvient avoir promis à son père de remonter un réveille-matin, nettoyé la veille. Connaissant les exigences de celui-ci, il n'a rien de plus pressé que de se mettre immédiatement au travail.

— T'es déjà à l'ouvrage, Joseph? Tu prends pas l'temps de manger quelque chose avant? J'ai préparé des beurrées de confitures aux fraises. Si tu viens pas, Victor et Henri vont toutes les manger!

— Non merci, m'man. J'veux être sûr de finir avant que p'pa arrive.

— C'est comme tu voudras. Aimes-tu ça au moins, réparer des horloges?

— Oui, j'aime ça. Quand j'raconte ça à mes amis, à l'école, ils me regardent tous avec des grands yeux. Y' en a pas gros, des gars de mon âge qui peuvent réparer des horloges.

— J'vas préparer le souper tranquillement. Y' faut que j'fasse manger Armand, avant qu'on s'mette à table.

Armand est le cinquième fils de Minie. Il a un an et demi. Le quatrième fils, Georges, a maintenant trois ans. Depuis l'arrivée d'Armand, Minie a connu deux autres fausses-couches. Pourtant, Charles respecte assez bien l'entente qu'ils ont établie, quatre ans auparavant. Mais il ne semble pas que cette pratique ait contribué un tant soit peu à l'espacement des grossesses. Minie a cessé de s'interroger à ce sujet. Elle accepte sa situation avec fatalisme : « On peut pas empêcher la pluie de pleuvoir ni l'tonnerre de tonner. Chacun a sa croix à porter! »

Charles rentre vers six heures trente du soir, comme d'habitude.

— Hé! p'pa! J'ai fini le réveille-matin d'hier. Y' a l'air de bien aller. Viens l'examiner!

— Ah oui? C'est bon, c'est bon. On le r'gardera après le souper, j'ai faim!

Le repas se déroule sans incident. Les enfants quittent la table les premiers, comme toujours.

— Minie... J't'en avais pas parlé avant parce qu'y' avait rien de sûr, mais y' faut que j'te dise que Charly m'a proposé une affaire.

— Ah! oui?

— Tu sais, le grand hangar vide, de l'autre côté de la ruelle? Ben, y' est à louer. Charly me propose d'ouvrir une fabrique de gramophones dedans. Y' a Jos Sawyer aussi qui mettrait d'l'argent dans l'affaire.

— Une fabrique de gramophones! Ben voyons, qu'est-ce que tu connais dans les gramophones? J'suppose que tu lâcherais ta job pour ça?

— Pas complètement. J'mettrais deux jours par semaine dans cette affaire-là. J'pense que Mappin serait bien content d'un arrangement comme ça. J'viendrais à bout de tout l'ouvrage qu'on a dans quatre bonnes journées, de toute façon.

— Mais, pourquoi t'embarquerais dans ça?

— Ben, c'est parce que Charly pis Jos comptent sur moi, pour les procédés de production. Charly, c'est un bon menuisier, presque un ébéniste. Mais la production en quantité, y' connaît pas ça. Ça deviendrait payant, en autant qu'on en produise beaucoup à bon compte.

— J'sais pas... J'connais rien dans ces affaires-là, mais ça m'inquiète. Depuis quatre ans, ça allait pas pire, pis là, tu r'pars encore pour la gloire!

— Ben non, voyons. J'te dis que j'garde ma job quand même.

— Mais y' t'paieront pas autant, tout d'même. Y' a un risque.

— Le risque joue des deux bords : ça peut aussi être payant!

Minie se rend compte, encore une fois, que son opinion ne pèse pas bien lourd, même si la décision la concerne tout autant…

ও৩

La fabrique est créée. L'entreprise connaît même du succès. L'esprit inventif de Charles ne se limite pas à satisfaire ses associés, quant aux procédés de fabrication. Il devient curieux des phénomènes acoustiques et s'ingénie à inventer un nouveau profil de diaphragme capteur, pour le bras de lecture. Inspiré de la conception des violons, ce nouveau dispositif augmente l'amplitude sonore générée par l'aiguille et ce, de façon significative. Un avantage important, à une époque où la reproduction des disques à soixante-dix-huit tours dépend, avant tout, des qualités acoustiques de l'appareil.

Étrangement, moins d'un an plus tard, la maison RCA Victor commercialise, sous la marque Victrola, un procédé tout à fait identique. Charles n'a pas songé à breveter son invention et, fier comme toujours, en a fait la description à qui voulait l'entendre.

Minie la moribonde a un sourire triste, en se rappelant à quel point elle était devenue excédée d'entendre, *ad nauseam,* l'*Ouverture de 1812* de Tchaïkovski. C'était la pièce fétiche de Charles, pour éprouver la performance de ses appareils.

Mais l'avènement de la radiodiffusion et la mise en marché imminente des phonographes électroniques annonçaient la mort de l'entreprise, à brève échéance. Heureusement, l'horlogerie était toujours là, fidèle et patiente comme elle-même l'a été, se dit Minie.

ও৩

Charles se résigne difficilement à fermer la fabrique. Il aime le défi quotidien qu'elle pose à sa créativité et l'atmosphère qu'elle dégage. L'horlogerie c'est bien, mais il ne peut y faire autant preuve de son talent inventif. Aussi se met-il à la recherche d'une nouvelle vocation pour l'entreprise. Après quelques semaines de démarches et de rencontres :

— Tu sais pas, ma femme, on ferme pas la *shop*! J'ai trouvé un nouveau produit. Pis celui-là, c'est pas l'électricité qui va le démoder!

— Ah oui? De quoi y' s'agit?

— De violons! On va fabriquer des violons. J'ai rencontré Camille Couture et d'autres violonistes, pis on a trouvé la bonne formule.

— Couture… c'est qui ça?

— C'est un grand violoniste, mais c'est aussi un luthier. C'est lui que j'avais consulté, quand j'ai inventé mon diaphragme de gramophone. Couture me dit qu'y' aurait de la demande pour des ébauches de violons. Les luthiers d'Europe, qui en fabriquent plus que ceux d'ici, engagent des apprentis pour faire le travail de dégrossissage. Nos luthiers, eux autres, vendent pas assez de violons pour que ça vaille la peine d'engager des apprentis. Ça fait qu'y' sont obligés de faire tout le travail eux-mêmes. Couture me racontait que si Stradivarius a réussi à vendre plus de huit cents violons dans sa vie, c'est parce que y' avait toujours de dix à douze apprentis qui faisaient le gros ouvrage. Lui, y' s'contentait d'les finir, pis de signer son nom dedans.

— T'as pas envie de t' mettre à gosser des violons, quand même?

— Ben voyons, Minie, y' est pas question que j'gosse des violons! J'pensais plutôt à inventer une machine à gosser les violons. C'est pas pareil!

— Ça y est! Encore des histoires pour se r'trouver dans la rue, un de ces jours!

— C'est pas des histoires de fous! Attends, pis tu vas voir c'que tu vas voir!

— Comme j'te connais, tu dois déjà avoir ta machine toute patentée dans ta tête.

– En plein ça! J'ai pensé à quelque chose qui ressemblerait à un pantographe. Y' aurait, à un bout de la machine, une forme de violon — coulée en métal ben sûr — pis, à l'autre bout, une pièce de bois à dégrossir. La partie mobile de la machine, ça serait, à un bout, un bras avec un pilote qui suivrait la forme de violon en métal puis, à l'autre bout, une toupie avec son moteur. Ça fait que la toupie sculpterait la pièce de bois, en y' donnant exactement la forme de la pièce en métal qui lui sert de guide. Tu comprends?

– Un peu… j'suis pas sûre, mais c'est pas grave.

– Avec une machine comme ça, j'suis sûr qu'on peut produire des ébauches que les luthiers auraient juste à assembler, à sabler pis à vernir. D'après moi, deux hommes devraient être bons pour en sortir une trentaine par semaine. Quand j' lui ai donné ces chiffres-là, Couture est quasiment tombé en bas de sa chaise. Il dit qu'on pourrait fournir tout le Canada facilement, avec une machine comme ça!

Les associés de Charles réagissent très positivement au projet. En moins d'un mois, la fabrique entre en production expérimentale. Charles constate rapidement que le tendon d'Achille du processus réside dans la conception de la fraise. Les fraises alors disponibles sont faites d'un noyau d'acier, muni de lames tranchantes en sa périphérie. Cette conception nuit à la rapidité du processus : la fraise ne réussit pas à se débarrasser des copeaux de bois assez rapidement, ce qui la porte à surchauffer. Charles se met à expérimenter avec des fraises de sa conception. Il finit par découvrir que la solution réside dans une fraise creuse! Ces expériences l'amènent à concevoir une fraise creuse ne comportant que deux lames. Grâce à ce nouveau dispositif, le temps exigé pour la sculpture d'une pièce passe de plus de deux heures, avec une fraise conventionnelle, à vingt minutes! C'est le succès! Les associés célèbrent la démonstration de Charles au champagne!

Devant la qualité des résultats, Camille Couture et d'autres luthiers convainquent Charles qu'il peut pousser le stade de finition de ses ébauches beaucoup plus loin. La fabrique en vient rapidement à produire des caisses de violon complètes, assemblées et collées, les ouïes taillées. Il ne reste au luthier qu'à procéder à l'insertion du filet, au sablage extérieur final, à la fixation du manche et de la touche, puis à vernir le tout et à monter les cordes.

Compte tenu de ce niveau de qualité, Charles sent le besoin d'apprendre à toucher le violon, ce dont Couture se charge. Le but en est simple : il y aurait avantage à fixer le prix de l'ébauche selon la qualité sonore de la boîte. Même si toutes ces ébauches sont produites selon le même procédé, les particularités et la qualité du bois utilisé les individualisent. Charles s'est donc fabriqué un manche et un cordier amovibles, qu'il fixe à chaque ébauche assemblée. Quelques coups d'archet lui permettent d'établir le prix de chaque caisse, ce qui peut facilement aller du simple au quintuple !

C'est ainsi qu'il découvre, une journée qui avait commencé comme les autres, une caisse dont la sonorité est extraordinaire. Il la met de côté afin de l'offrir à son collaborateur de la première heure, Camille Couture. Celui-ci en est tellement enchanté qu'il en fait la finition lui-même, se promettant de lui réserver un brillant avenir. Charles est très fier de lui. Il en devient presque heureux !

L'année suivante, le célèbre virtuose belge Eugène Ysaÿe vient donner un récital à Montréal. Couture, qui a connu le maître en Europe, le convainc d'essayer ce violon. Ysaÿe en est ébloui : il l'utilisera pour son récital du lendemain ! Couture alla jusqu'à présenter ce violon à l'exposition de Wembley de 1925, en Angleterre, une exposition regroupant les produits des meilleurs luthiers du monde. Il s'y mérita la médaille de bronze. Toujours à l'instigation de Couture, Fritz Kreisler toucha aussi cet instrument ; il en tira une grande satisfaction, semble-t-il.

❧

Si l'entreprise fut un succès technique, elle achoppa au chapitre de la mise en marché. Les luthiers connus furent rapidement pourvus de toutes les ébauches dont ils avaient besoin pour plusieurs années à venir. Les cinquante ébauches que la fabrique produisait chaque semaine commencèrent à s'accumuler. Il aurait fallu une mise en marché internationale. Or, aucun des associés n'avait de notions utiles en cette matière. Après quelques mois de survie, on se résigna à fermer pour de bon la maison et à liquider les actifs.

Charles conserva un seul violon, entièrement de sa fabrication, pour ses fins personnelles. Il allait en limiter l'usage rapidement à l'exécution de cantiques de Noël, accompagné au piano par Minie, au temps des Fêtes.

7

Trois ans de vie défilent encore à l'écran-mémoire de Minie. La petite famille a quitté Verdun deux ans plus tôt. Elle s'est installée au 6316 de la 3ᵉ Avenue, à Rosemont, après avoir séjourné une année sur le boulevard Rosemont. Un dernier fils est né peu avant le départ de Verdun : Bernard. Il aura trois ans bientôt.

Puis, l'histoire des « moines » émerge. Minie sourit intérieurement, en se rappelant la commotion que cet incident a causée à l'école paroissiale.

Charles a installé au sous-sol un petit atelier de menuiserie, équipé des outils manuels élémentaires et de quelques machines-outils récupérées de la fabrique : un banc de scie, une dégauchisseuse et un tour. Depuis, Charles, toujours intéressé à développer les habiletés de ses gars — dans la mesure où il les considère suffisamment doués, évidemment —, leur propose de menus travaux et surveille leur apprentissage. À l'école, Joseph s'adonne au sport du « moine », une toupie de bois massif qu'on lance à l'aide d'une corde enroulée. C'est, avec les billes, un des passe-temps favoris des écoliers. La cour de l'école est le site par excellence des tournois de moines. On mesure la durée de performance relative des moines : un bon moine peut « dormir », c'est-à-dire tourner sur lui-même, sans bruit et sans déplacement important, jusqu'à deux minutes, avant de s'arrêter. L'agressivité des enfants va jusqu'à organiser des duels, qui consistent à lancer, à l'aide de la ficelle enroulée, son moine en mouvement contre celui de l'adversaire, et de tenter de le briser par collision. Dans un tel match, il va de soi que la masse d'un moine est un atout important pour briser l'autre. Les enfants ayant expliqué ces considérations à leur père, celui-ci leur propose de tourner des moines en érable, par opposition aux bois plus légers dont sont généralement fabriqués les moines de commerce. Encore là, Charles leur fait comprendre que les proportions en diamètre et en hauteur d'un moine peuvent être adaptées aux objectifs du match : un moine trapu est plus stable, occasionnant un choc plus violent à son adversaire.

En moins de deux semaines, Joseph, Victor et Henri, équipés de moines « Beauregard », plus gros et plus massifs que ceux de leurs concurrents, raflent tous les championnats! Les aînés sont vite sollicités : chaque enfant rêve de posséder un moine Beauregard! Et l'atelier familial de bourdonner d'activité, dès que les devoirs sont faits et que les leçons sont apprises.

Mais un tel commerce ne peut se faire subrepticement : des transactions surviennent de façon illicite pendant les classes. Aussi, un bon jour, ce qui devait arriver arriva : Joseph se fait confisquer, par son professeur, les six moines qu'il avait en sa possession : « Tu les auras au mois de juin, pas avant! »

Informé de la chose, Charles entre dans une grande colère : « Y' a pas l'droit de confisquer vos moines! » Dès le lendemain, vers deux heures de l'après-midi, son horaire de travail le lui permettant, Charles enfourche sa motocyclette et se rend à l'école. Plutôt que d'aller voir le professeur, c'est directement au bureau du principal qu'il se rend, où il pénètre sans autre formalité.

– Monsieur Renaud, j'viens vous voir pour un problème grave!

– Racontez-moi ça, mon cher monsieur. Monsieur...?

– Beauregard, Charles Beauregard. Le père de Joseph, de Victor, de Henri et de Georges. C'est de Joseph qu'y' s'agit.

— Et quel est le problème dont vous voulez me parler?

— Son professeur, monsieur Lauzon, lui a confisqué six moines. Y' r'fuse de les lui remettre avant la fin de l'année. Y' a pas l'droit!

— Avant de souscrire à votre conclusion, j'aimerais bien connaître les détails de l'incident. Les connaissez-vous?

— Certain que j'les connais. Y' a un autre élève qui voulait acheter un des moines de Joseph. C'est vrai que la cloche de la rentrée avait sonné. Lauzon les a surpris, pis y' a tout d'suite confisqué les six moines que mon gars avait avec lui. Y' a pas l'droit!

— Un moment, mon cher monsieur Beauregard. Si je comprends bien, il s'agit d'une infraction disciplinaire. Le professeur doit intervenir.

— Là n'est pas la question. Si Joseph a fait une faute, punissez-le si vous voulez, mais remettez-y ses moines. Vous avez pas l'droit de vous approprier le bien d'un enfant!

Par la fenêtre du bureau qui donne sur la cour, Charles observe distraitement les élèves sortir en récréation.

— Mais voyons, monsieur Beauregard, je suis sûr que vous-même, si vous vous souvenez de votre enfance, il a dû vous arriver de voir un professeur vous priver d'un objet pour cause de manquement disciplinaire, ou parce qu'il créait de la diversion. Nous sommes tous passés par là. À la fin de l'année scolaire, les tiroirs de nos professeurs sont pleins de bandes élastiques, de gommes à effacer, de peignes, de petits livres obscènes… de toutes sortes de choses. Vous le savez comme moi. Il ne faut pas en faire un drame.

— Y' a une différence entre un élastique ou un livre obscène et six moines, Monsieur l'principal! Vous savez pas ce que ça représente de travail, pour un enfant de quatorze ans, fabriquer six moines!

— Ah! Parce que ce sont des moines qu'il a fabriqués?

Et Charles d'expliquer au principal la genèse des moines Beauregard. Le principal, M. Renaud, se voit replongé dans ses souvenirs d'enfance. Il devient curieux des caractéristiques dont Charles lui parle.

— Et vous dites que même la qualité de la pointe affecte la performance?

— C'est sûr! Une pointe de fer mou, faite avec un clou, comme c'est le cas pour les moines achetés tout faits, ça fait pas vieux os sur un trottoir de ciment! Nos moines sont équipés d'une pointe d'acier trempé!

— Ah?

— Ben mieux que ça: ils sont recouverts de trois couches de vernis Valspar. Tenez, j'en ai apporté un pour vous montrer. C'est un beau morceau!

Et le principal de tourner entre ses doigts, avec dans les yeux une convoitise à peine dissimulée, le superbe moine Beauregard. Charles avait apporté un modèle tourné dans une pièce d'érable piqué. Un vrai bijou!

— Bougez pas, j'ai une ficelle. J'vas vous faire une démonstration!

— Mais… Vous n'êtes pas sérieux? Pas dans le bureau!

— Inquiétez-vous pas. Comme vous voyez, c'est des moines bien « polis »… Y' sont civilisés!

Et Charles, avec une maîtrise parfaite, lance le moine sur le parquet du bureau de Monsieur le principal.

— R'gardez-le ben dormir… On va l'chronométrer, pour voir.

Et Charles regarde la trotteuse de sa montre… La récréation se poursuit, tant à l'intérieur qu'à l'extérieur…

Mais, dans la cour de l'école, les enfants, et surtout les professeurs, commencent à s'inquiéter. L'heure de la fin de la récréation est passée et le principal ne vient toujours pas sonner la cloche! Car, ce que Charles ignore, c'est que monsieur Renaud n'a jamais délégué à quiconque cette tâche. Il aime bien se présenter sur le perron arrière, la cloche de bronze à la main, et sonner pompeusement la rentrée. C'est sa façon de bien signifier le triomphe de la règle sur la dissipation.

Les rumeurs vont bon train dans la cour : « Y' a une police chez l'principal! » « Ah oui? Comment tu sais ça? » « Ben, y' a un bicyc' à gaz devant la porte! » Victor cueille la rumeur au passage et court à l'extrémité de la cour où, en se collant la face sur le grillage de la clôture, il peut observer ce qui se passe devant l'école. Il reconnaît la moto de son père! Il s'empresse d'en informer Joseph :

— C'est p'pa qui est là! Ça doit être pour les moines!

Et les deux frères se regardent, pétrifiés, pendant que les pires appréhensions gagnent leur imagination.

Et à l'intérieur…

— … Deux minutes et quarante secondes!

— Incroyable! Et ce qui m'a vraiment renversé, c'est sa stabilité. Votre moine ne s'est pas déplacé d'un pouce durant toute sa prestation. Incroyable!

— Ça, c'est dû à la qualité de la pointe et à son centrage. Une mauvaise pointe, décentrée, fait qu'un moine se promène mal. À moins que l'plancher soit pas de niveau, mais ça, c'est plus rare.

Charles et le principal continuent, pendant plusieurs minutes, à échanger sur tout l'enseignement qu'un enfant peut tirer de la fabrication des moines. On poursuit sur les préoccupations d'avenir d'un père de six garçons.

— Si vous leur procurez la meilleure éducation possible, vous pourrez être assuré qu'ils feront leur chemin dans la vie, monsieur Beauregard. Trop de parents négligent l'importance de l'école.

— J'dirais plutôt l'contraire : trop de parents abandonnent à l'école leurs responsabilités. Pour moi, l'éducation, c'est à la maison que ça se donne le mieux. Des connaissances, c'est toujours facile d'aller en chercher après.

— Bien, je vois que nous ne sommes pas sur la même longueur d'ondes à ce sujet, mon cher monsieur Beauregard. Mais je vous félicite quand même de vos préoccupations pédagogiques. Si tous les pères s'occupaient de leurs enfants comme vous vous occupez des vôtres, notre tâche s'en trouverait de beaucoup allégée!

— Inquiétez-vous pas. Pour m'en occuper, j'm'en occupe!

— Pour ce qui est du but de votre visite, à bien y penser, votre argumentation a du sens. Comme je vous le disais, nous sommes habitués de confisquer aux élèves des objets sans valeur. Mais au niveau du principe, vous avez raison.

Ces objets ne nous appartiennent pas. Je vais voir Lauzon et je vais trouver avec lui un compromis raisonnable. Les moines seront remis à Joseph.

— Ben, j'vous remercie beaucoup de m'avoir reçu, Monsieur le principal. J'savais que j'avais affaire à un homme intelligent, pis qu'on s'comprendrait.

Très fier de lui, Charles revient à la maison le sourire aux lèvres. Il siffloterait, si une telle activité était compatible avec la conduite d'une moto.

Ainsi, ce jour-là, les enfants de l'école Saint-Marc bénéficièrent d'une récréation de cinquante minutes, plutôt que des vingt réglementaires!

Cet incident valut aux quatre frères une notoriété sans précédent, car dès le lendemain, ceux-ci ne se privèrent pas de raconter à leurs copains le pourquoi de la longue récréation de la veille. Joseph trouva qu'une page de dictionnaire à transcrire était une bien petite punition, pour récupérer ses six moines — dont les prix connurent immédiatement une hausse inexpliquée…

⁣⟡⁣

Minie est couchée depuis une bonne heure; elle est profondément endormie. Voilà qu'elle est tirée de son sommeil par une main placée sur sa hanche protubérante, une main qui la secoue un peu… Minie fait entendre un geignement, pour bien signifier qu'elle n'est pas heureuse de se faire ainsi réveiller, mais Charles n'y porte pas attention. Il retourne sa femme sur le dos.

— Quoss'qu'y' y a? Quossé qu'tu veux?
— Ça s'ra pas long… Laisse-moi faire…
— Hé! que t'es tannant!

Il remonte la jaquette de sa femme, écarte d'une main les jambes de Minie, pendant que de l'autre, il déboutonne sa combinaison. Comme un bon missionnaire, il prend position et la pénètre.

Charles n'a pas l'habitude de prolonger indûment la copulation. Toujours fidèle au Dr Surbled, il est partisan du coït vigoureux et rapide! Mais voilà qu'il se comporte de façon plus sensuelle que d'habitude et, inconsciemment, prend son temps. Il va et vient, lentement, profondément et semble prendre plaisir à prolonger la montée de la jouissance. Minie, complètement réveillée, laisse faire. Elle n'en est pas à son premier réveil de cette nature.

Pourtant, il se passe quelque chose de différent cette fois-ci... Elle sent, dans son ventre, une chaleur inhabituelle... des gargouillements... La chaleur devient sensation... une sensation diffuse...

– Charles... Charles... c'est pas comme d'habitude... Quossé qu'tu m'fais, donc?

– Charles! Charles! CHARLES!

Charles semble fasciné par les réactions de sa femme. Minie comprend difficilement ce qui se passe dans la tête de son mari, mais il est plus excité que d'habitude. Il accélère son rythme et redouble de vigueur. Il pousse sa machine à fond!

– CHARLES! ARR-R-R-R-F-F-G-G-GH!

Minie fait entendre des sons terrifiants. Elle n'en peut plus; elle sent que quelque chose va éclater! Elle tente de se redresser, mais Charles semble trop concentré à réussir un impossible exploit pour en prendre acte. Minie réunit alors toutes ses forces et le repousse violemment en arrière. Celui-ci, hors d'équilibre, bascule sur le plancher. Minie pousse un grand cri. Un cri qui rend encore plus dramatique l'obscurité totale dans laquelle la chambre est plongée.

Charles se relève rapidement et fait de la lumière : Minie, pliée en deux, est assise au centre d'une flaque de sang! Ses gémissements se transforment en sanglots, lorsqu'elle voit dans quel état elle se trouve. Elle se glisse péniblement hors du lit et se rend à la salle de bain, tenant son ventre à deux mains et laissant derrière elle une traînée sanguinolente. Charles, figé sur place, regarde le lit... la traînée... et Minie. Il comprend difficilement ce qui s'est passé. Les bras ballants, il s'apprête à rejoindre sa femme à la salle de bain lorsque Joseph et Henri, réveillés par le cri de leur mère, se présentent dans le corridor en clignant des yeux :

– Qu'est-ce qui s'passe? Qu'est-ce qu'elle a maman?

— Pourquoi qu'elle a crié ?

Charles se reboutonne rapidement.

— C'est rien ! Elle a une indigestion. Allez vous r'coucher. Vite !

— Oui, mais y' a du sang su'l'plancher… Pourquoi ?

— C'est rien que j'vous dis ! Elle a dû manger des fraises… Allez vous coucher.

— Des fraises ? Aïe ! on est au mois d'avril !

— Attendez-vous que j'sorte le fouett ? J'ai dit d'aller vous coucher !

Ce dernier argument et le ton excédé de leur père convainquent les deux frères d'obtempérer. Ils veulent jeter un coup d'œil par la porte de la salle de bain, mais Minie l'a rapidement refermée.

Charles rejoint sa femme aux toilettes. Celle-ci, à cheval sur la cuvette, pleure silencieusement, tout en s'épongeant à l'aide de boules de papier hygiénique.

— J'savais pas que t'étais enceinte !

— …

— Depuis quand que t'étais enceinte ?

— Deux mois et demi…

— Pourquoi que tu me l'as pas dit ?

— Pourquoi ? Tu m'demandes pourquoi ? Tu comprendras ben jamais ! Pour continuer d'avoir la paix… au moins que'qu'jours par mois… Me semble que c'est pas difficile à comprendre ça !

— Mais…

— En tous cas, si tu veux dormir dans un lit propre… t'es mieux de te r'trousser les manches… C'est pas moi qui va nettoyer c'dégât-là ! Envoy', vas-y, pis laisse-moi tranquille avec mes troubles.

Charles fait demi-tour, un peu piteux, et retourne à la chambre. Minie, soulagée de sa présence, s'occupe d'elle-même. Elle n'en est pas à sa première expérience du genre et n'a jamais compté sur l'aide de son mari, en pareilles circonstances. Elle entend Charles aller et venir, froisser du papier journal — sans doute pour éponger le dégât — descendre au sous-sol, ouvrir et refermer la grosse poubelle de tôle ; puis d'autres froissements de papier et d'autres bruits, au sous-sol… Elle ne peut réprimer un sourire intérieur en imaginant son mari, si peu doué pour ce genre de tâche, s'affairer ainsi.

εν

Au cours des semaines qui suivent, et à la grande surprise de Minie, Charles ne revient pas sur le silence de celle-ci, concernant sa grossesse. Bien plus, cet accident lui vaut deux bons mois de congé… Tout compte fait, elle considère que les douleurs et les inconvénients momentanés de l'incident furent un bien petit prix à payer, en échange d'un tel cadeau ! Il s'écoulera, en effet, tout ce temps avant que Charles ne retrouve sa libido !

εν

Le claquement de la porte d'entrée rappelle à Minie que c'est l'heure à laquelle les enfants rentrent de l'école. Henri fait irruption dans la cuisine :
— Bonjour m'man !
— Bonjour Henri. Georges est avec toi ?
— Non… Y' s'en vient avec les Hétu.
— As-tu passé une bonne journée ?
— Comme d'habitude. J'ai eu huit sur dix en arithmétique, mais juste six pour ma dictée. J'aime pas ça l'français, c'est compliqué.
— On peut pas être bon dans toutes les matières. Si tu fais ton possible, c'est ça l'important.
Henri, le troisième fils de Minie, est maintenant en sixième année. Les deux plus vieux ne sont pas retournés à l'école, une fois septembre arrivé. Ils sont devenus garçons-livreurs pour des épiceries du voisinage. Joseph manifeste une nette attirance pour les travaux de menuiserie. Il s'est inscrit à des cours du soir en ébénisterie, à l'École technique de Montréal, rue Sherbrooke. Victor est plus attiré par les arts graphiques et s'est inscrit à des cours de dessin, à la même école. Les deux enfants défraient le coût de ces cours

eux-mêmes. Charles n'est pas enclin à favoriser des études à temps plein plus poussées. Le pays est en pleine crise économique : les marchés boursiers se sont effondrés et le chômage grimpe en flèche. Lui-même a vu sa semaine de travail réduite et il doit se rabattre sur du travail à domicile, pour joindre les deux bouts. À ce compte, le revenu d'appoint que lui rapportent ses deux aînés est le bienvenu, pour ne pas dire vital.

∞

Après Henri arrive Georges, l'espiègle. Il voit sa mère affairée à rouler des abaisses de tartes. Il passe derrière elle, mine de rien, et tire la boucle de son tablier. Au coup de rouleau suivant, Minie constate que son tablier est détaché.

— Ah ! ben, mon p'tit morné, attend donc que j't'attrape ! J'vas t'enfariner, tu vas voir !

Et Minie se lance à la poursuite de Georges, qui est tordu de rire.

— Aide-moi à l'attraper, Henri, que je l'enfarine comme y' faut !

Georges emprunte le corridor. Il compte sur l'enfilade des pièces doubles, à l'avant, pour semer sa mère. Minie le poursuit, morte de rire elle-même, Henri sur ses talons. Celui-ci, plutôt que d'aider sa mère, décide de tirer à nouveau la boucle de son tablier, qu'elle vient à peine de rattacher. Minie, le constatant, se retourne vers ce nouvel agresseur :

— Ben, mon p'tit vlimeux, attends que j'te pogne !

Minie rit tellement qu'elle en perd ses moyens. Henri fait volte-face et la sème facilement.

— Han, han ! Han, han ! T'es pas capable de m'pogner !

Profitant de cette manœuvre de diversion, Georges contourne rapidement ses poursuivants et fait irruption par une porte latérale, entre Henri et sa mère. Il lance à celle-ci un gros : « Beuh ! » Minie, surprise, sursaute, redouble de rire et tombe sur le derrière. Les deux enfants s'empilent par-dessus et la chatouillent à qui mieux mieux.

— Mes p'tits vinguiènes, vous autres, hi ! hi ! hi ! Arrêtez de m'faire rire… J'vas pisser dans mes culottes… j'ai pu d'*woop* !

130

Cette appréhension a un effet immédiat. Les enfants savent, pour l'avoir déjà constaté, que leur mère manque effectivement de *woop* assez facilement! Ils ne veulent pas lui causer une telle gêne. La poursuite s'achève dans les rires et les geignements de plaisir. On se « désempile » lentement. Minie reprend son souffle, rattache son tablier pour la troisième fois et retourne à sa pâte à tarte.

— Au fait, Henri, oublie pas d'sortir tes cendres avant qu'ton père arrive.

— Oui m'man.

— Ça fait deux fois qu'y' t'avertit. T'es mieux de pas les oublier.

— Oui, oui, m'man, j'les oublierai pas.

Le logis est muni d'un chauffage central. La chaudière, alimentée au charbon, produit des résidus, des cendres, que Charles place successivement dans deux poubelles d'acier. Il faut bien trois semaines avant que les poubelles ne soient pleines. Mais quand elles le sont, il n'y a pas d'autre contenant approprié. Alors, quand Charles se retrouve sans poubelle disponible, au moment où la chaudière doit être débarrassée de ses cendres, il entre dans une grande fureur. Mais le plus urgent, à ce moment-là pour Henri, c'est bien sa tartine de beurre d'arachides, glacée de miel. Et après la tartine…

Ce soir-là, quand Charles arrive du travail et constate que ses poubelles ne sont pas alignées au bord de la ruelle, en ce soir de collecte des cendres, il fait déraper sa moto, de rage, et entre en trombe dans la maison :

— Henri? Torrieu d'baptême, ou c'est qu'y' est passé? Henri?

Déjà attablés avec les autres, Henri et sa mère échangent un regard de détresse :

— Y' prenait une bouchée; y' allait les sortir, justement.

Henri se rend compte qu'il ne peut s'esquiver. Il prend son courage à deux mains, se dirige rapidement vers la porte de descente de cave, mais son père l'a déjà rattrapé :

— C'est comme ça qu't'écoutes, toé! J'te l'ai pas assez dit que les cendres, y' faut les sortir avant six heures?

Et l'empoignant par le collet d'une main, il ouvre la porte de la descente de cave de l'autre et l'y précipite, lui décochant un coup de pied aux fesses au passage. Henri croit sa dernière heure arrivée, mais n'a d'autre choix que de descendre l'escalier trois ou quatre marches à la fois, réussissant, contre toute attente, à conserver son équilibre.

Minie arrive, la main au cœur, pour constater que le pire a été évité :

— Mon Dieu, Charles, t'aurais pu l'tuer !

— Ça y' apprendra ! Ça fait assez d'fois qu'j'y' répète. J'suis tanné d'répéter pour rien. Y' a sa job à faire, qu'y' a fasse !

Charles fait ainsi allusion à la discipline de fer qu'il a instaurée, au fur et à mesure que les enfants grandissent. Quand ceux-ci atteignent l'âge scolaire, ils se voient attribuer une tâche domestique. Pour certains, c'est la vaisselle du souper, pour d'autres, c'est, soit sortir les ordures ou les cendres, soit faire le ménage de l'atelier au sous-sol, ou aider leur mère à faire celui du logis. Lorsqu'un des enfants devient exaspéré de faire toujours la même tâche, il peut négocier un échange avec l'un ou l'autre de ses frères. Mais il doit y réussir de gré à gré, sans intervention possible des parents. Telle est la loi. Toute infraction est sévèrement punie.

Mais Minie ne peut s'empêcher de faire un rapprochement entre les colères de Charles, et les quelques occasions où elle a refusé de faire « son devoir ». Ce constat lui pose un dilemme cuisant : doit-elle se respecter elle-même, tout en sachant que le lendemain les coups pleuvront sur quelqu'un, ou protéger ses enfants, au détriment de sa dignité et de son bien-être ?

Le comportement de Charles n'est pas un cas isolé : les punitions corporelles sont alors pratique courante. Minie est toujours émue d'entendre ses enfants rapporter les ragots de la cour d'école. Tel père fait ceci à ses enfants. Telle mère est plus sévère que bien des hommes. Peu nombreux sont les enfants qui peuvent se vanter d'avoir des parents indulgents et bons. À ce sujet, Charles a une philosophie bien à lui. Sa formation technique l'amène à rechercher des châtiments scientifiquement dénués de séquelles physiques. Ainsi, il réprouve la pratique courante de frapper de la main ou du pied, sauf réflexe involontaire, ce qui lui arrive comme à d'autres. Il allègue que la main est lourde et peut causer un traumatisme corporel à l'enfant. Même la baguette peut blesser, prétend-il. Il favorise plutôt le recours à des instruments psychologiquement puissants, mais moins susceptibles de causer des lésions.

Poussant cette logique à la limite, il a opté pour une « *strap* à rasoir » inutilisée. Il s'agit d'une courroie de cuir de cheval, de deux pouces de largeur par deux pieds de longueur. Sur la moitié de cette longueur, il a fait six entailles parallèles, espacées d'un quart de pouce, ce qui crée sept lanières flexibles d'un pied de longueur. Selon lui, ces lanières pincent énormément, mais ne peuvent vraiment blesser la « région hôtesse ». Dans la famille, on appelle cet instrument « le fouett ». Lorsqu'une incartade ou une désobéissance rend un enfant passible du fouet, il est prévenu vingt-quatre heures à l'avance : « Demain soir, quand tu t'mettras au lit, t'auras X coups d'fouett ! » Et dans le plus simple appareil, évidemment. L'échelle de gravité va de un à dix ! Minie est bien placée pour savoir combien ce préavis est efficace, et à quel point ces vingt-quatre heures sont pénibles à traverser, autant pour elle que pour le coupable. Elle doit reconnaître recourir elle-même à cette menace lorsque, excédée, elle cherche à reprendre le contrôle de ses gars : « Aimez-vous mieux que j'raconte ça à vot'père, quand y' va rentrer à soir ? C'est l'fouett que vous voulez ? »

Mais il y a, dans la maison, une autre personne durement affectée par ce régime. C'est Bernard, de six ans plus jeune que ses frères. Plus sensible, il ne peut s'empêcher de fondre en larmes dès que les coups commencent à pleuvoir, et même avant, dès que la voix du père se gonfle. Minie, qui se sait incapable d'arrêter le courroux de son mari, prend souvent prétexte des pleurs de Bernard pour intervenir :

– Charles ! C'est assez… le p'tit…

Et, conscient qu'elle ne supplie pas pour le coupable ni pour elle-même, Charles baisse graduellement le ton ou suspend la punition. Les frères de Bernard se rendent vite compte qu'il y a quelque chose à tirer de cette situation. Souvent, au cours des vingt-quatre heures fatidiques, ils tentent de le soudoyer :

– Aïe, Bernard, p'pa va m'donner l'fouett à soir. Si tu pleures vite pis qu'y' arrêt', j'te donne mon biscuit au chocolat!

Bernard n'a pas besoin de ce marchandage pour pleurer, mais apprend vite qu'un biscuit au chocolat, ça ne se refuse pas!

ᑌᓵ

Tout comme il l'a fait pour Joseph, douze ans plus tôt, Charles a vérifié successivement les aptitudes de ses autres gars pour le métier d'horlogerie, et dès qu'ils atteignaient l'âge scolaire. C'est ainsi que Victor et Henri se sont fait dire qu'ils « ne l'ont pas ! », alors que Georges a réussi son examen et a été admis, comme Joseph, au panthéon du grand Charles. Plus récemment, Armand, le cinquième dans l'ordre, a échoué le test et s'est fait indiquer la sortie des « pas bons » par son père.

Mais, alors que Victor et Henri s'accommodent assez bien du verdict, leur intérêt étant ailleurs, Armand ne l'accepte vraiment pas. Il insiste pour que son père lui apprenne le métier quand même, ce que Charles refuse tout net. Armand persiste : il est déterminé à montrer à son père qu'il peut devenir un bon horloger. En l'absence de celui-ci, il s'exerce à démonter de vieux réveille-matin et à les remonter. Minie essaie de le convaincre qu'il vaut mieux oublier tout ça, peine perdue ; rien n'y fait.

Ce n'est qu'après plusieurs mois d'efforts qu'Armand réussit à remonter convenablement un réveille-matin. Tout fier de son succès, il attend fébrilement l'arrivée de son père. Aussi, ce soir-là après le souper, alors que son père s'installe à son banc pour y travailler, Armand dépose devant lui le mouvement du réveille-matin, sans rien dire.

– C'est quoi, ça, Armand ?

— Ben, c'est un réveille-matin, c't'affaire!

— Oui, ça je l'sais. Mais pourquoi que tu mets ce réveil-là sur mon banc?

— Pour te montrer qu'y' marche!

— Je l'vois ben qu'y' marche. Veux-tu ben arrêter d'niaiser, pis m'dire qu'ossé qu'tu veux au juste?

Armand voit qu'il n'utilise peut-être pas la bonne approche. Il devient nerveux, mais décide qu'il n'a pas le choix :

— Ben, c'était pour te montrer que j'pourrais devenir horloger, si tu me l'montrais. Ce réveil-là, je l'ai tout'défait pis j'l'ai remonté tout seul. Pis, r'garde : Y' MARCHE!

— Quoi? T'as démonté pis remonté ce réveil-là tout seul?

— Oui!

L'enfant est au bord des larmes. La tension est trop forte. Charles l'observe et se calme un peu.

— Devenir horloger, c'est pas juste pouvoir démonter pis r'monter un réveille-matin, Armand. C'est pas mal plus compliqué que ça.

— Je l'sais. J'ai pas dit qu'j'étais un horloger. J'veux juste dire que j'pourrais apprendre, si tu me l'montrais.

— R'garde, t'as même pas centré l'échappement. Ça fait tic-tac — tic-tac — tic-tac — tic-tac, au lieu de faire tic — tac — tic — tac — tic — tac... Ça, c'est élémentaire. À part ça que t'as mis ben trop d'huile. Y' est tout gras. C'est pas bon, ça. Le spiral... r'garde, y' est pas d'aplomb!

Armand n'en peut plus. Il fond en larmes et s'enfuit dans sa chambre. De sa cuisine, Minie a tout entendu. Lorsqu'elle et Charles se retrouvent au lit :

— Charles, j't'ai trouvé dur avec Armand. Tu l'as même pas félicité pour sa persévérance. Tu sais pas, toi, combien y' a travaillé fort pour r'monter ce réveil-là. Ça fait des mois qu'y' s'pratique. Y' m'semble que t'aurais pu être plus compréhensif.

— Écoute, Minie, j'peux dire quand quelqu'un l'a pis quand quelqu'un l'a pas. Armand, y' l'a pas! C'est sûr qu'y' pourrait apprendre le métier de peine et d'misère. Mais ça veut pas dire qu'y' ferait un bon horloger, capable de gagner sa vie. Moi, j'ai pas d'temps à perdre à y' montrer, si j'sais pas d'avance que toutes les chances sont de son bord.

— Mais tu pourrais pas y' faire faire un p'tit bout? Peut-être que tu te trompes? Pense à toutes les semaines qu'y' a passées à r'monter son réveil. Tu penses pas que c'est un signe qu'y' y tient? Moi j'me dis que si Armand y tient tant qu'ça, ça doit démontrer qu'y' pourrait plus que tu penses.

— Armand, y' veut juste me contrarier. On s'est toujours pris aux cheveux depuis qu'y' est au monde. Y' suffit que j'dise blanc pour qu'y' dise noir. C'est un ostineux de nature. Pareil à sa marraine Annette! J'ai pas d'temps à perdre avec lui. Quand j'montre le métier à Joseph et à Georges, j'sais que j'perds pas mon temps. J'aime mieux faire deux bons horlogers que d'en faire trois moyens.

Encore une fois, Minie constate qu'elle peut difficilement influencer Charles, quand son idée est faite. Elle a effectivement observé une tension constante entre Armand et son père. Quant à la comparaison avec sa marraine Annette, la fille aînée d'Émérentienne, elle doit reconnaître qu'elle n'est pas sans fondement. Tout cela n'augure rien de bon. Elle est inquiète de cette inimitié croissante. Plusieurs fois, ce sujet a été évoqué dans ses prières quotidiennes.

Pour mettre le bon Dieu de son bord, elle décide d'aller communier le lendemain matin. Mais comme elle sait qu'elle a beaucoup de difficulté à respecter les prescriptions du jeûne eucharistique, elle se lève, puis entoure les robinets du lavabo de la chambre de bain d'une grosse serviette. Comme ça, s'il lui arrivait de se lever au cours de la nuit, elle sera certaine de ne pas boire d'eau par mégarde et de devoir remettre sa communion…

8

MINIE, la moribonde, se revoit à l'été 1932. C'est le 5 août, vingtième anniversaire de son mariage. Elle cherche à faire un bilan de ces vingt ans, ces années plates, comme elle les a appelées par la suite. Ces vingt ans, Minie a toujours tenté de les chasser de sa mémoire. Seul leur nombre s'impose, comme une tare, comme un faux trophée, un trophée dont elle a honte. Elle est mortifiée de ne pas avoir su reprendre en main la gouverne de sa destinée, de ne pas avoir réussi à apprivoiser Charles, de ne pas en avoir fait l'amant qu'elle espérait. Minie, la fière Minie, la fille de Théophile Lareau le rentier... comment a-t-elle pu faillir à ce point? Vingt ans au cours desquels elle élève six garçons et survit à autant de fausses-couches. Vingt ans au cours desquels Charles fait la pluie et le beau temps, dans la maison, au gré de son humeur et de ses frustrations, accordant en rechignant les quelques sous nécessaires à l'achat de vêtements dont la complexité dépasse son talent de couturière.

Personne pour la plaindre ou pour la comprendre. De toute façon, de quoi aurait-elle bien pu se plaindre? « T'es ben chanceuse qu'y' boive pas, ma p'tit' sœur. Vous êtes peut-être pas riches, mais au moins, vous manquez pas du nécessaire », lui a souvent rappelé Émérentienne, aux prises alors avec son homme, alcoolique et prodigue. Le nécessaire... et, à chaque allusion de cette nature, Minie revit la scène du fauteuil...

Charles n'est pas, non plus, coureur de jupons. Cette fidélité, Minie la déplore parfois, se disant que de connaître d'autres femmes lui apprendrait peut-être quelque chose!

Ces vingt ans ont été ponctués par la mort de son père, d'abord, puis de sa mère, deux ans plus tard, et par celle de son beau-frère Charly, en 1929, noyé dans le canal de Lachine, au volant de sa voiture. Au retour d'une beuverie, il n'avait pas remarqué que la barrière du pont tournant de la Côte-Saint-Paul était fermée, ce qui aurait dû lui rappeler que le pont était justement tourné, pour permettre le passage d'un bateau!

Vingt années grises, vingt années sans saveur. C'est tout de même une tranche importante de vie. Ça ne peut qu'instiller du regret, surtout à l'heure où l'on voudrait tant n'avoir qu'à se féliciter.

Au cours de ces vingt années, Charles change fréquemment d'emploi. Touche-à-tout brillant, talent naïf, proie facile pour les exploiteurs, il suffit de lui faire miroiter à quel point son génie est nécessaire à la réussite d'une entreprise, pour qu'il embarque dans les projets les plus farfelus et dont les avantages pécuniaires ne sont pas toujours évidents. Valse-hésitation interminable. Insécurité entretenue. Mais, et cela Minie le reconnaît volontiers, il y a toujours trois repas par jour sur la table. Sur ce point, Charles est un pourvoyeur loyal, valorisant la nourriture saine et ne lésinant jamais à ce sujet.

Mais suffit-il d'alimenter l'humain pour le nourrir?

Dans l'intimité de son dernier lit, Minie tourne définitivement la page sur ces vingt ans et cherche à se rappeler à quel moment, et comment le cours des choses a commencé à évoluer.

Cette réflexion la ramène en 1933. Son plus jeune fils, Bernard, a alors six ans et vient de commencer l'école. Il s'y rend avec Armand, qui a douze ans. Les trois aînés, Joseph, Victor et Henri, ont respectivement dix-neuf, dix-huit et seize ans. Ils travaillent tous les trois et ramènent leurs payes à la maison, en échange de quelques sous d'argent de poche. En ces années de dépression économique, de « la grande crise », ça donne un bon coup de main à la tenue du ménage. D'autant plus que Charles vient d'être licencié par son employeur pour cause de fermeture, après avoir vu sa semaine de travail graduellement réduite. Il a agrandi son atelier, à la maison, et travaille deux jours par semaine chez un bijoutier de la rue Ontario, dans le quartier Maisonneuve. Charles a décidé de retirer Georges de l'école et d'intensifier son apprentissage en horlogerie. Selon lui, celui-là est le plus doué. Georges a alors quatorze ans. Il accompagne son père au travail, sans rémunération, et l'assiste à l'atelier familial. Bien que reconnu habile à devenir horloger, Joseph, son cours d'ébénisterie terminé, exploite dans ses temps libres un atelier de menuiserie, à la maison. Quant à Armand, sa ténacité est venue à bout de Charles : celui-ci tolère qu'il s'essaie encore à l'horlogerie, mais ne lui prodigue pas tout l'enseignement dont bénéficie Georges.

Depuis la naissance de Bernard, Minie a connu une dernière fausse-couche, puis, la préménopause se manifestant, elle prend prétexte de ses malaises pour espacer le plus possible les avances sexuelles de Charles, toujours aussi « demandant ». La famille Beauregard habite encore le quartier Rosemont, 1ère Avenue, près de la rue Beaubien. C'est leur troisième résidence dans le quartier.

❧

Le 1er mai est, pour les enfants montréalais, un jour de fête, au même titre que le jour de l'An. En ces années trente, les déménagements sont fréquents. Non par caprice, mais simplement, parce que la progéniture croissante de chaque famille exige plus d'espace. La recherche d'un logis plus adéquat se fait toujours par quelqu'un, dans le voisinage immédiat. On évite surtout de changer de paroisse et de devoir inscrire ses enfants à une nouvelle école.

Les frais de déménagement ne sont pas exorbitants. Les familles étant relativement nombreuses, les bras ne font pas défaut. Chacun empile ses meubles, qui dans une brouette, qui dans une voiturette, au mieux, dans la camionnette d'un proche ou dans celle du marchand de bois, et hop la galère! Minie se souvient du déménagement de la 3ᵉ à la 1ᵉʳᵉ Avenue, pour lequel Charles a utilisé la voiturette des enfants. Il y a ajouté des traverses de bois pour en augmenter la capacité de charge. Pour ce faire, il a pris soin de remplacer les roues d'origine par des roues plus résistantes, montées sur roulement à billes. L'équilibre précaire d'une telle charge exige que deux des garçons se placent de chaque côté, alors qu'un troisième pousse, pendant que Charles tire le manchon. Seul le piano de Minie demande l'intervention de spécialistes, ce que son mari accepte d'assez bonne grâce. Ça lui permet d'ajouter le réfrigérateur au contrat et de se débarrasser de ce meuble fragile, les fuites de gaz ammoniac étant un incident alors fréquent et hautement désagréable, pour ne pas dire nocif.

Dans la recherche d'un nouveau logis, les mères accordent une attention particulière à la propreté des précédents occupants. À ce sujet, les « bibites » sont la phobie de Minie. Lors du dernier déménagement, elle s'était méprise; il lui avait fallu lutter durant plusieurs mois avant de venir à bout des punaises des prédécesseurs. Comme la punaise est une créature nocturne, sa consigne aux enfants était de laisser s'écouler une trentaine de minutes, après s'être mis au lit, puis d'allumer simultanément les lumières de toutes les chambres, pour surprendre ces pauvres bibites à l'extérieur de leurs cachettes! Les enfants prenaient un plaisir fou à cette chasse, qui retardait d'autant le vrai coucher.

Installée au 6464 de la 1ᵉʳᵉ Avenue depuis peu, Minie s'est liée d'amitié avec une voisine de son âge. La glace s'est rapidement rompue entre elles, du fait que cette voisine et Minie partagent le même souci d'exposer, à la vue des autres commères, une cordée de linge impeccable. Pour Minie, une cordée réussie est une œuvre d'art. Il faut d'abord respecter l'ordre de grandeur et le temps de séchage des pièces. Les courtepointes et autres pièces longues à sécher sont épinglées en premier. Les combinaisons des hommes, toutes regroupées, tel un régiment de fantassins. Les serviettes, les linges à vaisselle et les *bloomers* viennent ensuite. Les mouchoirs arrivent en dernier lieu, ce qui permet de les retirer de la corde à linge et de les remplacer, dès qu'ils sont secs. Il y a aussi certains aspects techniques à respecter, comme ne jamais épingler une chemise par les épaules, ce qui laisse des déformations difficiles à éliminer, au repassage, ou ne jamais épingler les draps par les rebords repliés afin d'éviter que le vent, s'engouffrant dans le sac ainsi formé, ne les arrache de la corde. Enfin, la supériorité d'une ménagère s'observe dans l'harmonie des couleurs de sa cordée. Il arrive souvent à Minie de passer des remarques à haute voix sur « le peu d'allure », ou les hérésies visibles d'une cordée exposée à la vue des passants.

La rencontre hebdomadaire de Minie et de Rita Lefebvre, sur leurs galeries arrière respectives, alors que chacune étend son linge au soleil, devient, pour Minie, une fenêtre ouverte sur le monde extérieur. Rita lui inspire inconsciemment le goût de changer des choses. Elle est plus délurée que Minie; on sent que c'est elle qui commande dans son couple. Minie commence à entrevoir que la soumission n'est peut-être pas le seul régime matrimonial possible. Un soir, alors que toute la famille est attablée :

— Les enfants, j'compte sur vous autres pour faire ce que vous avez à faire, à soir, sans que j'sois là pour vous l'rappeler. Les plus vieux, assurez-vous que les plus jeunes font leurs devoirs et apprennent leurs leçons. Moi, j'pars dans une demi-heure et j'rentrerai pas avant dix heures et demie.

— ...

Elle évite, à dessein, de s'adresser à Charles. Celui-ci ne trouve rien à dire. Elle enchaîne, à son intention mais sans le regarder :

— Rita vient m'prendre et on va ensemble à la pratique de la chorale des Dames de Sainte-Anne. Ça m'tente d'essayer ça. Ça va m'faire une distraction, pis ça va m'faire rencontrer du monde de mon âge. J'en ai besoin!

Elle ajoute, un tantinet narquoise :

— Et pis on sait jamais, j'vas peut-être rapporter des montres à réparer!

– …

Charles hausse les épaules et continue le repas, mine de rien. Sa première impression n'est pas négative. Ça tombe même assez bien. Des clients du quartier lui ont parlé de la naissance d'un « club ouvrier », une création du clergé pour contrer l'influence montante du parti communiste et aussi, des chemises brunes du leader fasciste Adrien Arcand. On y joue au bridge, semble-t-il, un jeu qu'il ne connaît pas mais qui l'attire : on lui a dit que seuls les plus intelligents pouvaient s'y adonner. C'était déjà lui poser un défi ! La chorale de Minie autorisera donc le club ouvrier de Charles ! C'est dire qu'il ne se sent pas privé de quoi que ce soit, par l'initiative de Minie. De toute façon, les soirées signifient rarement une interaction du couple, Minie s'occupant des plus jeunes et Charles réparant les montres du voisinage, ou bricolant, au sous-sol, avec les plus vieux. L'heure de rentrée annoncée par Minie est suffisamment hâtive pour ne pas influer sur l'heure de son coucher. Il se couche toujours tard, de toute façon. Non, il ne sent vraiment pas le « péril en la demeure ».

Minie se souvient être revenue enchantée de cette première expérience. Ses connaissances musicales, supérieures à celles de la plupart des choristes, et sa riche voix d'alto l'ont immédiatement classée comme une recrue de qualité. Elle se fait rapidement des amies, parmi la quarantaine de membres que compte la chorale. La partie chantée de la messe basse de dix heures, le dimanche, est assurée par cette chorale. Ça lui procure une autre occasion de s'évader ! Au bout de quelques semaines, on lui glisse à l'oreille qu'un petit groupe de sept ou huit femmes se réunit, le mercredi soir, tantôt chez l'une, tantôt chez l'autre, pour jouer une petite partie de « 500 » ! Si ça l'intéresse, elle est la bienvenue…

– Tu trouves pas, Minie, que tu y vas un peu fort ? Un soir par semaine, ça passe, mais deux ! Et pour jouer aux cartes, à part ça, c'est…

– Non, j'trouve pas.

Elle ne laisse pas à Charles le temps de compléter sa phrase, et ne sent pas le besoin de se justifier.

Minie ne tarde pas à trouver la rencontre du mercredi soir encore plus bénéfique que la répétition du lundi. Quatre à six femmes, autour d'une table, ça s'en dit des choses! D'une semaine à l'autre, elle est tout étonnée d'avoir été aussi longtemps déconnectée du monde. Elle découvre ainsi que son sort est, à plusieurs égards, comparable au lot de la plupart de ses congénères, mais qu'elle aurait beaucoup à apprendre sur la façon de transiger avec son homme, de manière à se respecter et à être respectée. Les confidences échangées et la confiance qui s'installe rapidement, entre elle et ses nouvelles compagnes, lui permettent aussi de découvrir que son Charles est différent des autres hommes, pour tout ce qui touche à l'affectif. De toute évidence, son éducation en orphelinat l'a beaucoup marqué. Elle ne se raconte pas trop rapidement, à ce sujet, mais enregistre goulûment tous les commentaires, tous les trucs utiles, et ajoute le mot « complicité » à son vocabulaire.

Mais son plus grand choc est d'apprendre, par un article publié dans un numéro de *La Revue moderne* prêté par une compagne, le résultat des travaux d'un savant japonais, le Dr Kiusaku Ogino. Ce scientifique conclut, au terme d'une longue recherche auprès d'un vaste échantillonnage de femmes, et à la suite de travaux de laboratoire élaborés, que l'ovulation survient au quatorzième jour après le début des menstruations, chez la femme démontrant un cycle menstruel régulier de vingt-huit jours. Ses travaux établissent, conséquemment, que la période propice à la fécondation s'étend de la dixième à la vingtième journée, après le début des menstruations, avec une plus grande assurance de fertilité pour les rapprochements survenant entre la treizième et la seizième journée. Ces conclusions sont assorties d'une mise en garde, à l'effet qu'une relation sexuelle survenant avant la dixième journée peut parfois déclencher prématurément l'ovulation, et donner lieu à une grossesse.

Minie fait lire cet article à Charles. Ils comprennent, un peu tard, que les indications du Dr Surbled et de ses contemporains étaient scientifiquement non fondées, et même à l'opposé de la réalité physiologique féminine. Pas étonnant que Minie eût connu treize grossesses, malgré les modestes efforts d'abstinence de Charles!

⁂

— Huit cœurs...
— Huit sans atout!
— Neuf cœurs...
— Dix pas d'atout!

Et Minie souligne ses enchères d'un vigoureux coup de poing, qui fait sursauter ses compagnes, les verres de Kik et les plats de croustilles, sur la table. Et, pendant que chacune replace ses cartes :

— Dites-moi donc, madame Chabot, vot'vieux, y' va-t'y' mieux?

— Pas tellement, madame Gagnon. L' docteur dit que ça peut lui prendre encore trois semaines, avant de r'trouver sa forme. J'lui mets des compresses chaudes quatre fois par jour, pis je l'frott' avec du liniment Minard, mais ça r'monte pas vite!

— Pendant c'temps-là, vous avez au moins la paix.

— Atout!

— Pour avoir la paix, je l'ai, pis j'l'ai toujours eue. Quand ça m'tente pas, c'est ben d'valeur, mais y' a juste à s'faire un nœud avec!

— Atout! J'aimerais ben ça, des fois, qu'mon Charles s'fasse un nœud avec.

— Passez moé-lé donc, pour une couple de s'maines. J'vas vous l'dompter, moé!

— Atout! Aïe! madame Chabot, comptez-moi pas d'histoires, j'ai déjà r'marqué que vous le r'luquez pas mal, mon vieux. Mais j'vous l'dis d'avance, y' aime pas ben ben les p'tites femmes!

— C'est sûr que la nature m'a pas avantagée autant que vous, madame Beauregard, mais j'en ai assez pour satisfaire les mains d'un honnête homme!

— Pique, ça vaut d'l'atout!

144

— Ça va faire là, vous deux! Au fait', avez-vous entendu parler du voyage qu'on doit faire, au Cap-de-la-Madeleine?

— Encore du pique!

— Non, qui c'est qui vous a dit ça, vous?

— Ben, c'est madame Perreault, la directrice. Y' paraît qu'on va chanter à la messe de dix heures, au sanctuaire. Ce s'rait pour la deuxième semaine de juillet.

— Toujours du pique! Ça j'aimerais ça, un voyage. On irait comment?

— En autobus. On partirait le mardi matin. Chacune apporterait un lunch, pour la route. On coucherait une nuit, on r'viendrait le lendemain soir.

— Du carreau, y' est maître! Ça va nous coûter combien?

— Dix piastres dans l'plus, si on couche à deux ou trois par chambre.

— Dix piastres…

— Un p'tit pique pour finir… On l'a fait!

— Eh! que j'aimerais ça!

Et Minie de préparer dans sa tête la façon d'amadouer Charles à ce projet. D'une chose elle est sûre : ce voyage, elle le fera. Pas question de se laisser convaincre du contraire!

❧

Victor envisage d'ajouter le volet « sculpture » à ses cours d'arts graphiques. Sans doute pour vérifier ses aptitudes pour ce nouveau médium, avant de s'inscrire, il décide de s'exercer à la sculpture et projette de sculpter une tête. Pas n'importe laquelle : la tête de Maurice Rinfret, le maire de Montréal. Ignorant des règles et des pratiques de cet art, il façonne une ébauche de tête, en mélangeant une certaine quantité de plâtre de Paris à de l'eau. Ayant ainsi obtenu une forme de quelque douze pouces de hauteur, ce qui comprend son socle, il la place en lieu sûr et attend qu'elle durcisse et sèche, avant de procéder plus avant.

Dans l'intervalle, il va à la recherche d'un couteau approprié et explore l'outillage hétéroclite de l'atelier familial. Son dévolu tombe sur un couteau à huîtres. Ne le trouvant pas suffisamment tranchant, il l'aiguise méticuleusement à l'aide de l'affûteuse. Tous ces préparatifs se déroulent dans le plus grand secret, à l'abri des regards indiscrets de ses frères et, surtout, de son père. Il connaît suffisamment celui-ci pour savoir que, s'il découvrait son projet, il serait immédiatement pris en tutelle : sa démarche serait soumise aux règles et techniques déterminées par son père. C'est ce qu'il veut surtout éviter. Victor a fait preuve d'autonomie dès son plus jeune âge. Sans doute cherche-t-il à se démarquer de son frère aîné, plus docile et souple, pense Minie.

Quelques jours plus tard, au retour de l'École technique, Victor s'installe, sans mot dire, dans un coin de l'atelier. Protégé par un grand tablier d'ouvrier, il s'assoit sur un tabouret et, la forme de plâtre logée au creux de sa main gauche, le couteau modifié dans la main droite, il commence à dégrossir la forme de son plâtre. La matière est devenue plus dure qu'il ne le prévoyait. Il doit redoubler d'efforts. Le plâtre s'effrite, peu à peu. On commence à deviner l'émergence d'un nez… Victor s'attaque aux orbites des yeux. Ce plâtre est vraiment très dur… Le couteau oscille rapidement et le plâtre se désagrège progressivement. L'arcade sourcilière gauche du maire de Montréal commence à apparaître. Impatient devant la lenteur du processus, Victor redouble d'énergie et d'efforts. La main droite développe plus d'habileté à manœuvrer le couteau ; la gauche augmente d'autant la pression sur l'arrière de ce qui doit devenir une tête, lorsque, soudain, le plâtre cède et vole en éclats. La lame du couteau, avec toute la puissance de la main qui le pousse, franchit comme l'éclair la faible distance qu'il y avait entre la pièce et lui, une fraction de seconde auparavant, et traverse la main qui n'a plus rien à tenir. Sous l'effet de la surprise, Victor est sidéré. Il regarde la lame, dont la pointe dépasse de plus d'un pouce le dos de sa main gauche, inerte, alors que la droite tient encore le manche du couteau. Il s'écoule quelques secondes qui lui semblent des heures, avant de décider de ce qu'il doit faire. La vue du sang, qui commence à couler, le ramène rapidement à la réalité. « Maman ! Maman ! » Et

Victor grimpe, quatre à quatre, les marches de l'escalier de l'atelier : « Maman ! maman ! J'me suis fait mal ! » Au premier cri, Minie a abandonné la préparation du souper ; elle arrive à la tête de l'escalier en même temps que Victor. La vue de la main traversée par la lame, celle du sang qui coule de plus en plus profusément lui fait battre le cœur, mais Minie ne perd pas son sang-froid pour autant. Elle entraîne Victor, maintenant plus grand qu'elle, à la salle de bain, lui place la main au-dessus du lavabo, cherche fébrilement la bouteille de peroxyde d'hydrogène et la boîte de coton à bandage, dans la « pharmacie », décapsule la bouteille et dépose celle-ci tout à côté de la boîte de coton. Tenant le poignet de Victor de sa main gauche, elle retire, d'un seul geste, le couteau à huîtres de sa main droite. Du coup, le sang se met à gicler avec plus d'abondance. Minie verse le peroxyde sur la plaie, d'un côté et de l'autre de la main ensanglantée, y applique tout aussi rapidement de généreux tampons de coton ; elle enjoint Victor de tenir la main bien haut tout en maintenant, de sa main indemne, une pression sur les tampons de coton. Les tampons rougissent rapidement et doivent être remplacés à deux ou trois reprises, avant que la coagulation ne commence à s'opérer.

Le moment critique étant passé, la réaction ne tarde pas à se manifester :

— Mon grand vlimeux, toi ! Peux-tu ben m'dire comment qu't'as fait' ton compte ?

— Je l'sais-tu, moi ? J'étais en train de sculpter, pis le morceau de plâtre s'est brisé…

— Tu peux t'attendre à t'faire parler par ton père !

— Ben lui, qu'y' s'énerve pas. C'est pas lui qui s'est blessé, après tout !

ॐ

Dès son arrivée, Minie met Charles au courant de l'accident.

— Chicane le pas trop, j'pense qu'y' a eu assez la frousse comme ça !

– Faut d'abord voir si la blessure est grave ou pas. Où est-ce qu'il est?

– Y' est dans sa chambre. J'y' ai fait tenir la main en l'air tout ce temps-là. Le sang m'a l'air pas mal arrêté.

Charles se rend auprès de Victor, qui affiche un air plutôt penaud. Charles s'empare de son poignet gauche :

– Bouge donc tes doigts, pour voir…

Victor bouge les cinq doigts sans trop de difficulté.

– Est-ce que ça fait mal, quand tu les bouges?

– Ça tire un peu, mais ça s'endure…

– Tu peux allonger ton bras sur ton ventre. Maintenant, si tu vois que le sang r'commence à couler, relève la main en l'air. On changera ton pansement demain matin.

Et l'ancien sergent-major ambulancier, satisfait de son examen, s'apprête à sortir de la chambre lorsqu'il marmonne : « C'est comme ça qu'on apprend… c'est comme ça! ». Se retournant :

– Comme ça, tu veux apprendre à sculpter, c'est ben ça?

– Ben, ça m'tentait d'essayer, mais j'ai pus ben ben l'goût. J'pense que j'suis mieux de m'en tenir au dessin… C'est moins dangereux.

Charles rejoint sa femme, à la cuisine.

– Ça va aller. Y' a rien de cassé. J'dois dire que tu m'surprends, ma femme.

– …

– C'était quand même une grosse blessure… T'as ben fait' ça!

– J'ai pris l'habitude de m'débrouiller. T'as pas l'air de t'rendre compte qu'avec six gars dans une maison, y' en arrive des choses, même quand t'es pas là!

Elle est tout de même assez fière d'elle et savoure la remarque de Charles.

∽

– Charles, qu'est-ce que tu dirais si on s'prenait une servante?

– Pourquoi qu'on s'prendrait une servante?

— J'viens pas à bout de mon ouvrage. C'est aussi simple que ça !

— Ouais… Une servante, ça coûte pas ben cher. Y' a plein d'filles d'la campagne que les parents demandent pas mieux d'voir sortir de la maison. Mais ça ferait quand même une bouche de plus à nourrir… Pis, as-tu pensé où qu'on l'installerait ? On a six gars dans la maison. Ça laisse pas grand-place ça.

— J'y' ai pensé… J'me disais qu'elle pourrait coucher sur le divan, dans ton atelier. J'y' ferais un peu de place dans la garde-robe de cette pièce-là.

— Ça ben l'air que ça fait une secouss' que tu y penses !

— Mets-toi à ma place. C'est rendu que j'ai trois boîtes à lunch à garnir six jours par semaine, en plus de tout le reste. J'arrive pus. J'me couche les jambes tout enflées.

— J'suis pas contre. Comment que tu ferais pour en trouver une ?

— J'ai juste à aller au presbytère. C'est la servante du curé, madame Mondoux, qui y voit. Ça a l'air qu'elle a des listes longues comme ça de filles à placer.

❧

Ce que Minie ne dit pas à Charles, c'est qu'elle se considère bien démunie pour sensibiliser ses gars à la réalité féminine. Sans compter qu'elle a adopté, jusque-là, une attitude plutôt effacée et se désole de ne pas faire contrepoids à l'« hégémonie » masculine, dans la maison. Adjoindre une femme à la famille assurera peut-être, sur ce plan, un meilleur équilibre. Et ça lui fera, sans doute, une compagne avec qui elle pourra pactiser, à l'occasion.

C'est ainsi que Florence Chevrette, une jeune fille de dix-huit ans, qui préfère qu'on l'appelle « Flore », est introduite dans la maisonnée. Elle arrive tout droit de Saint-Côme, dans l'arrière-pays de la région de Joliette, où son père a défriché un lot « en bois d'bout' ». Ils étaient seize à la maison. Elle semble débrouillarde et le travail ne lui fait pas peur.

— Six enfants, Madame Beauregard, c'est pas pesant au bout' du bras! On va ben s'arranger.

Les conditions de travail sont facilement convenues : Florence est libre tous les soirs après la vaisselle du souper et le dimanche, après celle du dîner. Le salaire : deux dollars par semaine, logée, nourrie. Sa bonne humeur et sa simplicité font qu'elle est rapidement acceptée comme membre à part entière de la famille.

Les aînés sont bien contents de cette présence. Ça leur donne l'occasion d'échafauder des stratégies de séduction sans que la chose ne porte à conséquence. Le bain du samedi devient souvent prétexte à l'étriver un peu :

— Dépêche-toi, Flore, t'es pas toute seule à prendre ton bain. Pis laisse-nous d'l'eau chaude!

— Si t'es pas sortie d'là dans cinq minutes, on t'sort!

— Ou on entre prendre not'bain avec toi, ha! ha!

— Achalez-moé pas, bande de fatigants. Pis essayez pas de r'garder par le trou d'la serrure, j'ai mis d'la ouèt' dedans!

Florence sort enfin, le sourire aux lèvres, ses beaux cheveux roux ruisselants, très fière d'être le point de mire de cette jeune meute.

Mais il n'y a pas qu'une jeune meute dans l'univers de Florence. Assez rapidement, les soirs de sortie, elle s'est mise à fréquenter le carrefour Iberville–Mont-Royal, où se trouve l'hôtel Palermo et le fameux Exchange Stadium, La Mecque des amateurs de lutte de la métropole. C'est un quartier aux mœurs débridées, qui voisine un abattoir de bovins et les voies ferrées du Canadien Pacifique.

Elle s'introduit rapidement dans le milieu de la lutte et devient la « blonde » d'un gladiateur réputé. Minie observe la métamorphose de Florence qui, rapidement, perd son air candide de petite fille de la campagne pour celui d'une fille de la ville, savamment maquillée et sûre de son arsenal. Cette transformation chagrine Minie. Mais elle doit convenir que son autorité sur Florence n'est que symbolique. Un jour où elle va jusqu'à la menacer de révéler ce mode de vie à ses parents, elle obtient une réponse souriante, mais sans réplique :

— Voyons, Madame Beauregard, pensez-vous qu'vous allez énerver mon père avec ça? Y'était assez content que j'débarrasse la maison, pis y' a assez d'ses propres problèmes. Y' s'mettra pas l'nez dans mes affaires. Quant à ma mère, elle sait pas lire! À part ça, ayez pas peur, j'suis pas folle; j'apprends vite, j'sais c'que j'fais!

⅋

Mais voilà que ce souvenir en ravive un autre : un incident qui l'avait profondément troublée, survenu vers la même époque. Minie se revoit, attablée avec Charles, Joseph et Victor, après le souper. Bernard est couché, Armand est à faire ses devoirs et Florence est sortie. Il arrive assez régulièrement, les soirs d'hiver, que l'on fasse une petite partie de « 500 » en famille. Ce soir-là, Minie joue avec Victor, contre Charles et Joseph. Elle ne se souvient pas des enchères ni du détail de cette donne, mais elle revoit clairement Victor se lever d'un bond, en criant :

— On l'a fait', m'man, on l'a fait' !

Il fait prestement le tour de la table et, une fois derrière elle, l'embrasse sur la joue et la prend par les épaules, tout en exultant :

— On l'a fait! Saudit qu'on est bons, hein m'man?

Mais leur joie à tous deux est de courte durée. Charles se lève d'un bond, prend son grand fils de dix-huit ans fermement par le bras et le dégage de son étreinte :

— Pas d'affaires comme ça, mon gars. Respecte ta mère!

— Ben voyons, Charles… Y'faisait juste…

— … c'est pas une manière de s'comporter avec sa mère! On s'permet des p'tites choses, pis après, c'est des familiarités osées, quand c'est pas plus grave. Non! J'veux pas d'affaires de même dans ma maison!

Et Charles, les yeux exorbités par la colère, ramène Victor sur sa chaise.

Minie sent alors un grand froid lui descendre dans le dos. Elle ne comprend pas, ou comprend trop, revoit encore

151

la scène du fauteuil… Elle se lève précipitamment et s'enfuit dans sa chambre.

La partie de cartes s'arrête là.

༄

L'épisode « Florence » dure près de trois ans, soit jusqu'à ce que celle-ci, devenue majeure, annonce à Minie :

— Madame Beauregard, j'me marie dans un mois. Ça fait que dans deux s'maines, ça va être le bout' de not' voyage ensemble, j'pense ben.

— Tu t'maries ? Hé, ben ! Tes parents sont au courant ?

— J'leur apprendrai après. J'ai pas l'goût d'les voir *r'tontir*.

Après son départ, les plus vieux trouvent que la maison sans Florence n'est plus tout à fait la même, ce qui stimule leur recherche d'une vraie blonde.

༄

C'est un beau samedi après-midi de printemps. Un de ces samedis d'avril qui rend chacun plus généreux, plus sociable. Un de ces samedis où, dans les quartiers populaires, tous les voisins sortent sur leur galerie, se trouvent plus sympathiques qu'à la fin de l'automne précédent et s'interpellent, d'une arrière-cour à l'autre, avec de larges sourires. Un de ces samedis où les moineaux semblent chanter comme des canaris et où même les détritus, mis à nu par la fonte des neiges, sentent bon.

Charles décide de sortir sa moto du sous-sol, où il la remise pour l'hiver. Cette entreprise annuelle est spectaculaire, attirant plusieurs voisins et enfants de voisins, lesquels trouvent les petits Beauregard bien chanceux d'avoir un père motocycliste. La sortie de cave, à l'extérieur, consiste en un escalier plutôt raide, surmonté d'une structure de bois recouverte de tôle. Une porte en défend l'accès. Charles dépose un madrier par-dessus les marches, de façon à y faire rouler la moto. Compte tenu de la pente abrupte, il faut faciliter l'ascension de la lourde machine. À cette fin,

Charles fixe un câble à la moto et le relie à un jeu de poulies, dont l'autre extrémité est attachée à un poteau des services publics, au fond de la cour. Tous les bras disponibles sont mis à contribution pour hisser la moto, que Charles maintient en équilibre, tant bien que mal. L'opération terminée, Charles distribue des bâtonnets aux enfants et leur demande d'extirper toute la terre graisseuse agglutinée entre les ailettes des cylindres du moteur, ce qui en favorisera un meilleur refroidissement. Le grand ménage complété, il enfourche sa moto, une Indian Scout, met le moteur en marche, ce qui exige d'actionner plusieurs fois la pédale de démarrage. Lorsque, la fumée s'étant dissipée, le ronronnement du moteur succède à la pétarade initiale, il lance sa moto sur une distance d'au plus soixante pieds, d'un coin de la cour à l'autre, où il freine abruptement, sous les acclamations des voisins.

C'est sa minute de gloire. Il est surtout fier de constater la frayeur qui se lit sur le visage des voisines, pendant la brève course effrénée de sa moto. Quelques balades dans les rues du quartier sont ensuite accordées aux enfants des voisins consentants. C'est le seul jour de l'année où Charles manifeste un tant soit peu d'attention et de générosité envers les gamins du voisinage. Une fois la motocyclette garée dans un coin de la cour, son port d'attache jusqu'au prochain hiver, il rentre pour le souper, très fier et exceptionnellement disponible :

– Charles…

– …

– … j'aurais d'quoi à t' dire.

– J't'écoute…

– J'aimerais ça qu'tu vendes ton bicyc' à gaz pis qu't'achètes un char.

– Ben voyons, Minie, ça'pas d'bon sens! On n'a pas les moyens. Un bicycle pour un char, c'est comme un lapin pour un ch'val!

– J'te d'mande pas un char neuf.

– Même à ça, Minie, t'en as pas un de *s'conde main* en bas de trois cents piastres. On n'a pas ça, trois cents piastres.

— On en a déjà eu mille !

Le visage de Charles s'empourpre, mais il se contient :

— Non, non, non… c'est pas sérieux ton affaire. On n'a pas besoin d'une auto. Pour me rendre au travail, mon bicyc' fait l'affaire. Pis ça m'permet d'aller voir ma famille, avec les plus vieux, sans qu'ça nous coûte trop cher. Non, non… ça'pas d'bon sens.

— Moi aussi, Charles, j'ai une famille que j'vois pas souvent, pis qu'j'aimerais visiter de temps en temps ! Chaque fois que j'te d'mande de l'argent pour un billet d'train, t'as toujours de bonnes raisons pour pas me l'donner. J'en ai assez, Charles, j'en ai assez !

L'émotion, sinon la colère, prend Minie à la gorge, mais elle n'a pas le goût d'abandonner :

— J'suis tannée d'être toujours laissée en arrière à la maison, Charles. J'suis tannée ! Y'm'semble que moi aussi, j'ai l'droit d'sortir un peu, pis d'voir mes parents !

Et elle se met à sangloter. Les enfants disparaissent, certains dans leurs chambres, les autres au sous-sol. Charles juge que la révolte a assez duré. Il hausse le ton :

— Écoute, Minie, tu trouves pas que j'fais mon possible, torrieu d'torrieu ? Les jobs sont rares, pis on s'tire tout d'même pas si mal d'affaire ! Y'en a pas gros d'familles du quartier qui sont pas su'l'secours direct. Ça fait qu'arrête de chialer, pis oublie tes idées d'grandeur. As-tu compris là ?

Et il assène un puissant coup de poing sur la table, sans doute convaincu qu'il suffira à mettre fin à la rébellion. Minie se sent mal, mais elle reste déterminée. C'est comme si toutes ses frustrations des vingt dernières années se conjugaient pour lui donner une énergie qu'elle ne se connaissait pas. Le cœur lui fait mal, sa respiration devient difficile, oppressée, mais elle poursuit quand même, debout derrière une chaise qu'elle tient fermement par le dossier pour se donner plus d'assurance :

— Écoute Charles, j'ai jamais dit un mot plus haut qu'l'autre depuis qu'on est mariés. T'as toujours fait c'que tu voulais. T'as embarqué dans des affaires de fou qui ont tout' mangé l'argent d'ma famille. Passe encore. Tu m'as fait des enfants, l'un après l'autre. Passe encore... Y' paraît qu'ça prend ça pour aller au ciel. Mais là Charles, j'commence à me d'mander si j'veux y aller, au ciel ? J'en ai assez ! J'en ai assez, ass...

Sa respiration est subitement bloquée. Elle cherche de l'air et se déplace dans la cuisine, la bouche grande ouverte, les yeux hagards, faisant d'impossibles efforts pour aspirer. Minie râle, cherche désespérément à retrouver son souffle. Instinctivement, elle se dirige vers la porte arrière, l'ouvre et titube, sur la galerie, saisie de panique.

Charles devient livide et panique à son tour. Les arrière-cours sont encore pleines de voisins : que va-t-on penser ? Il court rattraper Minie, tente de la saisir par les épaules pour lui faire faire demi-tour. Mais elle lui résiste et pousse un effroyable râlement qui attire les regards de plusieurs voisines, dont Rita :

— Mon Dieu, Minie, qu'est-ce que t'as ? Qu'est-ce qu'elle a, monsieur Beauregard ?

Et Rita, sans attendre la réponse, qui de toute façon ne vient pas, contourne la clôture à la course, pour venir au secours de son amie.

Charles risque :

— Voyons, Minie, prends pas ça d'même !

Et, plus fort, à l'adresse des voisins étonnés :

— Elle s'est étouffée en mangeant ; ça lui arrive, des fois...

Il ramène Minie de force dans la cuisine, malgré Rita qui le talonne et, au milieu de râlements de plus en plus dramatiques, lui applique rapidement une serviette d'eau froide sur la nuque, l'assoit et tente de la calmer :

— Voyons Minie, qu'est-ce qui t'prend de t'mett' à l'envers comme ça ? Y'a moyen de s'parler !

Rita, incrédule, le pousse et prend Minie dans ses bras :

— J'suis là, Minie... Ça r'vient-tu ? Presse-toi pas d'respirer là, essaye d'avaler... Prends ton souffle tranquillement là... j'suis là !

Le traitement-choc de l'ancien sergent-major ambulancier du 65ᵉ Régiment, à moins que ce ne soit la présence de Rita, fait graduellement effet. Minie recouvre peu à peu ses moyens. Elle a le sentiment de revenir d'une rapide mais effroyable descente aux enfers. Elle a senti les murs de la cuisine vaciller, le plancher se dérober sous ses pieds, cru perdre connaissance, mourir peut-être. Elle est rassurée de sentir la présence de Rita et se serre un peu plus contre elle.

— Vous, là, avec vos étouffages en mangeant… ça pogne pas! Vous avez besoin d'y faire attention à vot'femme, ou ben vous allez avoir affaire à moi! Inquiète-toi pas Minie, on s'en r'parlera quand tu voudras. Pour tout d' suite, repose-toi. J'vas rester encore un p'tit peu… Vous pouvez faire de l'air, vous! A'n a d' besoin!

Charles, qui ne s'est jamais laissé parler comme ça par qui que ce soit, surtout pas par une femme, reste bouche bée et, après deux secondes d'hésitation, choisit de descendre au sous-sol. Les deux femmes restent serrées l'une contre l'autre et le silence, un bon silence, envahit toute la pièce.

❧

Le lundi suivant, d'une corde à linge à l'autre :

— J'te dis, Minie, qu' tu m'as fait peur samedi soir. Ça va-t'y' mieux?

— Oui. Ça s'est r'placé. Y' faut ben…

— J'voudrais pas passer pour une écornifleuse, mais c'était quoi l'problème?

— Bah! J'aime pas ben ben ça raconter mes affaires sur la galerie.

— Ben, achève ta cordée pis viens prendre une tasse de thé. On s'ra plus tranquilles en d'dans.

— Bon… J'arrive dans deux minutes.

Minie rejoint son amie, un peu intimidée à l'idée de se raconter. Elle préfère de beaucoup écouter les confidences des autres.

– Ça' commencé quand j'y' ai parlé d'vendre son bicyc' à gaz pour ach'ter un char. Y' l'a pas pris, pis moi non plus, j'ai pas pris qu'y' l'prenne pas. Y'a toujours ben un bout'! J'suis tannée d'rester en arrière, à la maison.

– Écoute, Minie, j'veux pas t'forcer à m'raconter des choses que t'aimes peut-être mieux garder pour toi. Mais j'vous r'gard'aller, toi pis ton mari, pis j'me souviens de quelques p'tites affaires que tu m'as déjà confiées… J'me dis que si à tous les jours, y' a des étincelles qui r'volent, c'est à cause d'la couchette. Ça s'rait pas nouveau. Quand ça va pas dans' couchette, ça va pas nulle part ailleurs.

– Ben là, tu touches un point sensible… C'est sûr qu'la couchette, j'm'en passerais ben, pis y' s'en aperçoit de plus en plus. Mais, nous aut' les femmes, on n'a pas ben ben l'choix, pas vrai?

– J'suis pas si sûre que ça. Si tu t'en passerais ben, c'est qu' t'as pas d'fun là, c'est ben ça? Mais y' a moyen d'rend'ça plus l'fun que ça. As-tu déjà essayé?

– J'te comprends pas… essayé? Essayé quoi?

– Ben si y' faut t'mett' les points su' les i, on va les mett'. Moi comme les autres, ça m'a pris du temps avant d'apprendre qu'y' a pas rien qu'les hommes qui peuvent avoir du fun, dans' couchette. Nous aut'aussi, on peut! On a nos p'tits points sensibles, nous aut'avec! Mais les hommes, y' ont pas l'air de l'savoir, ou ben y' s'en fichent.

– …

– Moi, c'est ma sœur qui m'a montré. Pis je l'ai montré à mon mari. Faut dire qu' j'ai un mari parlable. En premier, ça l'a dérangé. Y' était pas fier que j'y' apprenne de quoi. Mais quand y' a vu que ça devenait plus l'fun pour tout l'monde, y' a changé d'manières. Depuis c'temps-là, ça va ben. J'ai pu d'problème avec la couchette. J'peux t'montrer, si tu veux.

Minie est éberluée. Elle se demande si elle doit en croire ses oreilles. Elle choisit prudemment les mots de son interrogation:

– Tu veux dire qu'y' a quelque chose que j'aurais dû savoir, que j'aurais pu faire, pis que si je l'avais su, j'aurais eu autant d'plaisir que mon mari a l'air d'en avoir?

— C'est en plein ça !

Tout se bouscule très vite dans la tête de Minie. Les mises en garde du vicaire Lagacé s'entrechoquent avec les propos de Claire Gagnon, mais ceux-ci n'ont guère plus de sens pour autant. Il semble à Minie que ce que Rita s'apprête à lui dévoiler sent le péché à plein nez. Toute sa conscience résiste à cette tentation de Satan.

— Mais c'est pas correct, c'que tu m' dis là, Rita. C'est péché !

— Ben non, voyons. Ça s'passe tout en même temps. Pendant qu'vous faites l'acte. Vous empêchez pas la famille, quand même ! Tant qu'on n'empêche pas la famille, les prêtres s'mêlent pas d'ça. Ça s'passe comme y' faut.

Minie se souvient alors d'une phrase du vicaire : « Tout ce que vous ferez en faisant des enfants, c'est permis… ». Mais tout son être résiste quand même. Elle a perdu l'audace de sa jeunesse. L'inconnu lui fait peur. Elle se sent comme une aveugle de naissance à qui on offrirait la vue, en échange de son âme. Un pacte avec le diable !

— J'sais pas quoi penser, Rita. Tu m'sors des choses que personne m'a dites avant.

— Ben voyons, Minie, c'est pas si compliqué qu'ça, tu vas voir ! Mais j'peux pas t'forcer, c'est sûr.

Les scrupules et, surtout, la difficulté et les risques d'une démarche auprès de son mari s'entremêlent dans sa tête. Elle se sent confuse et impuissante. Comment rouvrir un sujet aussi délicat, après tant d'années d'abdication ?

— Non Rita, j'veux pas savoir. Y'est trop tard… Y'est trop tard !

Minie abandonne là sa tasse de thé et retourne chez elle, profondément perturbée. Elle se sent désemparée et ne ressent aucun intérêt à reprendre ses tâches domestiques. La journée s'écoule sans qu'elle ne réussisse à remettre de l'ordre dans ses pensées. Minie a le sentiment d'avoir quitté la terre momentanément, de se retrouver dans un monde différent dont elle aurait à réapprendre tous les usages.

Le lendemain, repassant dans sa tête les propos de Rita, Minie commence à entrevoir les choses de façon plus rationnelle. D'un point, elle est sûre : il est hors de question d'aborder ce sujet avec Charles. Mais la curiosité la ronge. Le peu qu'elle a compris l'interpelle. Il lui faut au moins savoir exactement de quoi il s'agit. Elle convient, avec elle-même, de revoir Rita.

9

Le 1ᵉʳ mai de cette même année, les Beauregard ont de nouveau changé de logis. Ils habitent maintenant la 2ᵉ Avenue, près de Beaubien. Peu après, en juin, alors qu'il rentre de l'école, Bernard est à la fois surpris et heureux de trouver sa mère littéralement rayonnante. Il ne l'a jamais vue d'aussi bonne humeur :

— Bernard, va faire un tour dans l'garage…

— Quoi, dans l'garage ? Pour quoi faire ?

— Vas-y, pose pas d'question…

Depuis cinq semaines qu'ils occupent ce nouveau logis, le garage — une nouveauté pour les Beauregard — sert d'entrepôt pour tout ce qui ne peut prendre place dans la maison. Bernard traverse rapidement la cour et, une fois dans le bâtiment, bute contre une énorme et rutilante voiture noire !

— Wow !

L'enfant en fait le tour et remarque, admiratif, les deux roues de secours placées sur les garde-boue avant et l'imposant porte-bagages, à l'arrière, autant de signes distinctifs d'une voiture de luxe. Bernard en a déjà reconnu la marque, une Graham Paige. Malgré ses sept ans, il en connaît déjà assez pour savoir qu'il ne s'agit pas d'une voiture neuve. Selon lui, elle compte trois ou quatre ans d'utilisation. Il tente d'ouvrir une des portières : elle est verrouillée. Un coup d'œil à l'intérieur lui révèle un aménagement assez bien conservé et plutôt impressionnant. Satisfait, il retourne au pas de course à la maison.

— C'est à qui l'auto, m'man?

— C'est à nous autres!

— Quoi? On a un char? Wow!

— Oui. Ton père est allé chercher ses *licences* pis après l' souper, on va aller faire un tour.

On est vendredi et Minie se dit qu'il serait bon, pour une fois, de faire le marché en auto, plutôt que de rapporter les victuailles dans la voiturette d'enfant, comme elle en a l'habitude. Effectivement, après le souper, toute la famille s'empile dans l'automobile. Minie prend Bernard sur ses genoux, en avant et, dans un joyeux désordre, les cinq autres s'installent les uns par-dessus les autres sur la banquette. L'arrangement est provisoire. Charles a jugé qu'il y aurait assez d'espace entre les deux banquettes pour y installer deux petits sièges de son cru, transformant ainsi la voiture en une sept places. Cette possibilité a d'ailleurs été un facteur déterminant dans le choix de cette voiture d'occasion, qu'il a achetée à tempérament pour la somme de deux cent cinquante dollars.

Cette première excursion n'est pas très réussie. Au premier arrêt, Charles fait une fausse manœuvre d'embrayage et cale le moteur. L'accumulateur, guère plus neuf que la voiture, n'a pas assez d'énergie en réserve pour permettre à la « machine » de redémarrer. En moins de temps qu'il n'en faut pour le dire, les six garçons se précipitent à l'extérieur et poussent la voiture jusqu'à la maison, Bernard y apportant sa contribution symbolique. Charles n'est pas très fier, mais devant la bonne humeur de toute la famille, il en rit de bon cœur. Minie en est quitte pour demander à Victor de l'accompagner à l'épicerie avec la voiturette!

L'acquisition de ce véhicule marque un grand tournant dans la vie des Beauregard — et dans celle de Minie, surtout. Elle s'en souvient très bien. À partir de ce moment, les excursions à la campagne, le dimanche, se font en famille. En semaine, il arrive que l'on aille veiller chez Émérentienne, à Verdun, ou chez Joseph, le plus jeune frère de

162

Minie — « Pit », pour les intimes — qui habite le quartier Ville-Émard et qu'elle ne voyait pas souvent, auparavant.

Depuis cet épisode, Minie a le sentiment de commencer à vivre. Non que son couple aille tellement mieux, mais elle prend de l'assurance et s'accorde maintenant de petites douceurs. L'une de ses gâteries préférées consiste à passer quelques heures sur la rue Masson, où elle se rend à pied, et à faire du lèche-vitrines, alors que les plus jeunes sont à l'école et les autres au travail. Ça se termine invariablement par la dégustation d'un *banana split*, au comptoir-restaurant du Woolworth. Quel délice !

Parvenue au seuil de l'éternité, elle en salive encore, même si — la préménopause y contribuant — elle prit alors considérablement de poids, atteignant graduellement une taille, pour ne pas dire une stature, avec laquelle elle se sentait bien (ceci malgré des désavantages esthétiques évidents, à commencer par ses énormes jambes, qu'elle appelait alors ses « tuyaux d'poêle »).

●

— J'ai un projet dans la tête, Minie… J'ai envie d'ouvrir un atelier.

— Un atelier ? Où ça ?

— Sur la rue Beaubien. Tu sais, à côté d'la banque, y' a un local de vide. C'est juste la grandeur qu'y' faut : vingt par vingt.

— …

— Faut dire que l'atelier à la maison, ça marche assez bien. Le monde me fait confiance. Mais ça m' dit qu'un commerce sur la rue, ça s'rait encore mieux. Pis j'suis tanné d'perdre deux jours par semaine à aller chez Bisson. J'pourrais faire mieux qu'ça à mon compte.

— Y' faudrait pas s'endetter pour autant.

— Non, non, le loyer s'rait raisonnable, j'en ai discuté avec le propriétaire. C'est le même qu'on avait au 6464 : Trefflé Saint-Louis, le marguillier. Au début, Georges pourrait tenir l'atelier ces deux jours-là.

Et Minie d'évaluer mentalement à combien de déménagements elle en est rendue.

— Si tu penses que ce s'rait mieux comme ça, mon vieux...

— Y' a un logis de libre aussi, au troisième. On pourrait déménager là. Y' m'a parlé de vingt-sept piastres par mois pour le magasin et de vingt-cinq, pour le logement. C'est un « cinq appartements », mais la chambre d'en avant est assez grande pour coucher quatre ou cinq gars.

— À c'que j'vois, t'es rendu pas mal loin !

Assez pour que deux mois plus tard, le 1er mai 1936, les Beauregard emménagent au 6472 de la 1ère Avenue, à deux portes d'un de leurs précédents logis, et que Charles ouvre commerce au 2584 de la rue Beaubien, dans le même édifice. L'aménagement de l'atelier ne coûte pas cher : Charles construit deux comptoirs, avec le bois récupéré de l'ancienne fabrique de phonographes. Il possède déjà tout l'outillage requis. Une tenture, choisie et achetée par Minie au « magasin de coupons », sépare la section ouverte au public de l'arrière-boutique.

L'aménagement du logis est tout aussi facile. C'est un logement tout en longueur, situé au deuxième étage. Un escalier extérieur franchit en partie le rez-de-chaussée, se prolonge à l'intérieur jusqu'au logis du premier, puis s'étire jusqu'à l'étage supérieur, où le palier donne sur la pièce de séjour. La pièce sert aussi de salle à manger, alors que la cuisine se trouve en retrait. Dans l'autre sens, on compte deux chambres fermées, puis le couloir débouche sur une dernière chambre. Cette pièce donne accès au balcon, d'où s'offre une vue imprenable du carrefour Beaubien — 1ère Avenue et dont l'un des angles est dominé par l'église Saint-Marc.

Dans cette pièce, qu'on a rapidement surnommée « le dortoir », on a disposé deux lits doubles, côte à côte, et un peu plus tard, un lit simple, un ancien divan. Au début, les deux aînés couchent dans la première chambre fermée ; les parents utilisent la seconde — histoire d'assurer un meilleur contrôle de la discipline —, et les quatre plus jeunes, eux, sont logés au dortoir.

Minie se souvient, avec un sourire mitigé, des odeurs dégagées par une telle concentration d'adolescents. Le bain hebdomadaire perd ses effets après deux jours et ses exhortations : « Lavez-vous les pieds avant d'vous coucher, là ! » ne sont pas toujours respectées. En hiver, comme il n'est pas question d'ouvrir les fenêtres, Minie doit faire preuve d'imagination pour faire disparaître les odeurs corporelles de ses grands garçons. L'un de ses trucs consiste à rouler une section de journal, bien serré, à y mettre le feu, puis à souffler la flamme de façon à ce que le papier brûle en tison. Ainsi armée, elle se promène dans la pièce en faisant de grands gestes circulaires, telle un chef d'orchestre, et réussit provisoirement à masquer l'odeur coupable par une autre, hélas, guère plus respirable.

Les débuts de cette nouvelle installation se présentent sous d'assez bons auspices. Minie consacre le peu de loisirs dont elle dispose à sa chorale et s'y fait de plus en plus d'amies. Depuis deux ans, son Bernard s'est joint à la manécanterie de l'école. Il en est devenu l'un des solistes. Peu de choses rendent Minie aussi fière que d'entendre « son bébé » chanter le solo du cantique *Dans cette étable*, aux messes de minuit, et dans une église remplie à craquer.

Pour mousser l'achalandage à son atelier, Charles a fait imprimer une circulaire en anglais qu'il poste à chacun de ses anciens clients, du temps de Mappin & Webb. L'expérience est décevante. Charles doit constater que ses riches clients d'hier, qu'il admirait tant, ne lui manifestaient de la sympathie que dans la mesure où il travaillait alors pour une maison anglo-saxonne. Aucun ne lui donne signe de vie.

Il n'empêche que Minie revoit Charles qui, après un mois d'exploitation de l'atelier, dévoile fièrement le chiffre d'affaires moyen de ces quatre semaines : vingt et un dollars de réparations, moins trois, à retrancher pour les fournitures, ce qui laisse un profit brut de dix-huit dollars par semaine. Six mois plus tard, les chiffres ont doublé. L'aventure est techniquement rentable et Charles peut quitter son emploi.

– Armand, aide-moi donc à ôter la table, là !

– J'peux pas, m'man, popa veut que j'lave les vitres du char.

– Ben, viens m'aider Bernard ! Moi, j'vais préparer un paquet pour emporter.

La famille est en effervescence, au terme de ce dîner dominical. C'est que l'on s'apprête à se rendre chez l'oncle Romain, à Mont-Saint-Grégoire. C'est devenu un quasi-rituel. Au moins un dimanche sur trois, quand il fait beau. Plusieurs facteurs favorisent cette nouvelle habitude. D'abord, la distance est raisonnable : environ une heure de route. Romain et Malvina ont également six enfants, mais la famille compte quatre filles et deux garçons. Leur moyenne d'âge est environ de trois ou quatre ans plus élevée que celle des leurs. Comme il y a des filles, les plus vieux ne rechignent pas trop pour y accompagner leurs parents. Un peu, pour la forme, mais… Il y a juste une caractéristique des cousines que les garçons trouvent inhabituelle, étrange, sans trop s'en plaindre pour autant : elles sont très « licheuses », pour reprendre l'expression de Minie. À l'arrivée comme au départ, ce sont les grandes embrassades, « su'l'bec ». « Ça vient de Malvina, assure Minie ; les Choquette sont tout'licheuses de même. » Étrangement, Minie, qui déplore la sécheresse de ses rapports avec Charles, se découvre elle-même de plus en plus pudibonde.

Le pont Jacques-Cartier traversé, on emprunte le boulevard Alexandre-Taschereau. Après avoir roulé sur la moitié de sa distance, les enfants cherchent à repérer les antennes du transmetteur d'un poste de radio montréalais. Le premier qui les aperçoit s'écrie, alors : « La crevaison s'en vient ! » Et, invariablement, elle se produit ! Est-ce la piètre qualité des pneus ? Est-ce un effet des ondes hertziennes ? On ne le saura jamais. Mais, quatre fois sur cinq, une crevaison se produit à cet endroit précis !

On roule encore quelques minutes et le profil du mont Saint-Grégoire se dessine à l'horizon, puis se rapproche. Dès que les pneus de l'automobile crissent, sur le gravier de la cour des Choquette, les aboiements de Ti-Mousse, le collie de la famille, avertissent joyeusement ses maîtres que des visiteurs arrivent :

– Bonjour, Malvina… (Bec!)

– Bonjour, Minie… (Bec!)

– J'vous ai apporté un p'tit jambon pis un pot d'cornichons. J'me suis dit que ça avait pas d'bon sens d'arriver huit, comme ça, les mains vides.

– Voyons, Minie, c'était pas nécessaire !

Comme autre facteur favorable à ce rapprochement, il y a le fait que Malvina, qui a fait de longues études, a instauré un bon niveau de culture dans sa maison. Seule dérogation aux habitudes soignées de la maisonnée : l'oncle Romain, à la fin du repas, retire ses prothèses dentaires devant ses convives pour les débarrasser, avec sa langue, des restes alimentaires qui y sont logés ! Bernard suit toujours le manège de son oncle et parrain avec une extrême attention. Les enfants sont, par ailleurs, bien éduqués et ont un langage exemplaire, pour l'époque et le milieu. Malvina est une excellente musicienne et les soirées deviennent autant de récitals où chacun contribue, selon son talent.

Minie ne peut en dire autant de la famille de l'autre frère de Charles, Aristide, que l'on visite occasionnellement, à Saint-Alexandre. On y exploite une grosse ferme laitière et Minie déplore la quantité de mouches dont la maison est constamment assiégée, malgré les « collants » accrochés comme des stalactites au plafond de la cuisine. On travaille fort, on mange gros et on parle gras, dans cette maison. À Georges qui, un jour, se pâmait d'admiration devant le silo, tout en cherchant à le ceinturer de ses deux bras, la tête relevée dans un vain effort pour en saisir toutes les proportions, sa petite cousine Marianne avait lancé, de la porte de la cuisine :

– T'es pas capab' de chier aussi gros qu'ça, hein Georges ?

Non, à tout prendre, Minie préfère visiter Romain et Malvina !

– C'est à votre tour, Minie. Chantez-nous quelque chose, avec Charles.

Malvina ne l'a jamais tutoyée, question de convenances sans doute. Minie lui rend la pareille. Après s'être fait prier un peu, elle se lève et tire son mari par la manche. Charles résiste, pour la forme. Il est assez cabotin et ne déteste pas faire son numéro. Il n'a pas une voix aussi développée que celle de Minie; le timbre est un peu grêle, à l'image de sa tendresse. Malvina leur choisit un duo, dans la pile de musique en feuilles posée sur un coin de l'énorme piano carré et, après une présentation qu'elle fait toujours dans les formes, leurs voix s'élèvent, dans un rare moment d'harmonie :

(Charles)	Il est quelqu'un dont la grâce m'attire
(Minie)	Il est quelqu'un dont l'esprit m'a séduit
(Charles)	Dont le regard et dont le sourire
	Sont deux lumières dans ma nuit (bis)
(Refrain en duo)	
	Il est quelqu'un, quelqu'un que j'adore
	Allez lui dire à deux genoux
	Comme à la sainte que l'on implore
	Et ce quelqu'un, c'est vous!

Et Minie et Charles de se pointer réciproquement du doigt, à la fin du dernier vers, avec un sourire ému, aux applaudissements de l'intime auditoire.

Les plus grandes, Berthe et Marie-Victorine, préfèrent danser avec leurs cousins. Quand elles jugent que leurs parents ont accaparé une part raisonnable du temps disponible, elles se lèvent et chacune entraîne un compagnon à la cuisine :

– On va danser un peu, ça va nous faire digérer!

Pendant qu'une repousse la table contre le mur et qu'une autre répand de la poudre d'acide borique sur le linoléum, pour le rendre plus glissant, une troisième « r'monte » le phonographe et, en moins de deux, la cuisine s'emplit d'une musique fort différente. Les couples se forment selon les rapports d'âge. On commence par un « set », suivi d'un « Paul-Jones ». Mais les cousines savent doser et, graduellement, en viennent aux danses plus propices aux rapprochements physiques.

Le retour à la maison se fait dans le calme et le silence. Les plus jeunes prennent une avance sur la nuit, pour ne pas trop s'endormir le lendemain matin, à l'étude. Minie trouve que ce sont de bien belles journées. Des journées réconciliatrices.

10

MINIE se sent comme un coureur approchant du fil d'arrivée. Autant elle souhaiterait s'arrêter, reprendre son souffle, autant elle est consciente que plus rien ne peut freiner cette résurgence. Sa mémoire est comme un volcan en éruption et, jusqu'à un certain point, malgré l'épuisement, elle a le goût de se rendre au terme, de pouvoir se dire, comme l'artiste prenant du recul devant l'œuvre achevée : « Voilà, voilà ma vie, elle ne m'appartient plus ; elle vous appartient, maintenant, vous tous à qui je l'ai consacrée. Je vous la livre tout entière, de ma naissance à ma mort imminente. À vous d'évaluer ce que j'en ai fait. À vous de décider si je mérite votre souvenir, votre affection posthume, ou plutôt, l'oubli du tombeau. »

Elle s'accorde le temps de trouver bon le silence de sa dernière chambre, où elle a l'impression d'être seule. Ce sentiment lui plaît, lui permet d'apprivoiser la grande solitude, l'éternelle solitude. Elle laisse sa mémoire dériver et le visage de Georges se présente...

La dernière année passée au 6472 de la 1ère Avenue s'avère très éprouvante pour Minie. D'abord, elle sent bien que les jours de son troupeau, encore intact, sont comptés. Bientôt, dans quelques mois peut-être, les plus vieux se marieront et quitteront le foyer familial. Mais voilà que la famille est démembrée par une épreuve soudaine et des plus cruelles.

Georges et Henri ont développé un engouement pour le tennis et y démontrent une certaine habileté. Le court paroissial est à deux pas. Ils s'y produisent régulièrement et la réputation de Georges commence à dépasser le cadre de la paroisse. Beau garçon de cinq pieds onze, chevelure noire opulente coiffée « à la Pompadour », il est la coqueluche des filles de l'équipe auxquelles il répond très gauchement, étant plutôt timide. Il est bientôt admis dans l'équipe choisie pour se mesurer aux autres clubs de la ville. La recrue contribue à remporter plusieurs victoires.

Un matin, Georges se sent faible. Il semble d'abord souffrir d'une grippe banale. Puis, la fièvre grimpe. Le médecin de famille, appelé à son chevet, diagnostique une pneumonie et astreint le malade à une diète liquide. Mais sa condition s'aggrave rapidement. Pour plus de sûreté, l'omnipraticien suggère une radiographie pulmonaire. Pressé de questions par Charles, il rend un verdict foudroyant : tuberculose.

Georges est hospitalisé à l'hôpital du Sacré-Cœur, à Cartierville. Mais sa condition continue à se détériorer. Rien ne semble devoir stopper la progression de la maladie. À la suggestion du spécialiste, Charles et Minie consentent à Georges six transfusions de leur sang, au rythme d'une par semaine chacun. Peine perdue. Devant l'inévitable, on décide de ramener Georges à la maison. Au moins, il mourra parmi les siens.

Avant d'accepter que Georges ne quitte l'hôpital, le médecin fait bien ressortir l'aspect contagieux de la maladie. Il indique clairement les mesures d'hygiène à respecter. Minie accepte tout :

– Ayez pas peur, docteur, j'en fais mon affaire !

On prévoit installer Georges dans la chambre fermée, occupée jusque-là par les deux aînés. Ceux-ci rejoindront les trois autres au dortoir, auquel on ajoutera un lit simple. Avant le retour de Georges, Charles repeint la chambre — un exercice auquel il se livre rarement — en vert pâle, « couleur d'hôpital ». Il hausse le lit sur des blocs de bois, afin de rendre les soins au malade plus aisés. Une clochette est placée sur la table de chevet pour les besoins du futur occupant.

Georges est installé. Il semble heureux. Au chapitre de l'alimentation, il bénéficie plus souvent que les autres d'un bon steak tendre et à point, le remède miracle selon Charles. Sa vaisselle est lavée et rangée à part. Ces détails constituent pour Minie une double tâche : elle prépare le repas de Georges en premier, puis, après s'être scrupuleusement lavé les mains au savon, à l'aide d'une brosse, elle fricote celui des sept autres bouches.

— J'te cause bien du trouble, hein, maman ?

— Parle pas comme ça, mon gars. Tu sais ben que si ça pouvait t'guérir plus vite, j'en f'rais encore plus.

— Je l'sais bien, maman… mais, c'qu'y' a d'valeur, c'est que j'pense que tu t'donnes tout c'mal-là pour rien…

— Parle pas d'même, Georges, c'est presque un blasphème ! Tu vas guérir. On va en v'nir à bout' de c'te maladie-là, tu vas voir.

— Je l'souhaiterais bien, mais j'y crois pas tellement. J'me vois aller… En tout cas, y' a une chose dont tu peux être sûre, maman… Quand j's'rai au ciel, parce que j'vois pas pourquoi j'irais pas, j'vais prier pour toi, pis j'vais m'arranger pour qu'y' t'arrive plus rien de pas correct.

Et deux grosses larmes roulent sur ses joues. Il a de grands yeux bruns un peu en amande, les yeux de son père, à son âge. Minie, émue, s'en approche et le prend dans ses bras. La mère et l'enfant enlacés pleurent en silence.

— Bon ben, c'est assez s'attendrir pour rien, il faut que j'aille faire le repas des autres. R'pose-toi bien, là. Pis oublie pas qu'on t'aime tous ben gros, pis qu'on veut que tu r'viennes nous r'trouver à la table ben vite.

Et Minie, que les élans d'émotion rendent mal à l'aise, sort précipitamment. Elle enlève sa robe, qu'elle met au lavage avant d'en passer une autre. Elle se lave les mains avec plus de minutie encore et se passe même une débarbouillette savonnée sur le visage, puis retourne à ses chaudrons.

Quelques semaines s'écoulent…

— Charles, j'viens de faire déjeuner Georges, pis j'trouve que ça va pas... Ça va pas pantoute!

— J'm'habille pis j'vas l'voir.

Charles se rend au chevet de son fils. Il remarque effectivement que la pupille de l'œil est anormalement dilatée.

— Comment ça va, Georges?

— Ça va pus... J'voudrais voir... le prêtre...

— Si c'est ça que tu veux, on va appeler l'abbé Rouleau. Mais on va appeler le docteur aussi. C'est peut-être un malaise passager que tu ressens. Détends-toi, fais confiance à la Providence. Je r'viens, ça s'ra pas long.

Charles rejoint Minie dans la cuisine et, à voix basse:

— J'pense qu'y' va falloir s'faire à l'idée, ma vieille... J'appelle le docteur Arpin... pis le prêtre. Georges veut le voir...

Minie le regarde, incrédule... empoigne son tablier pour étouffer ses sanglots et se dirige vers la salle de bain, courbée sous le poids de l'épreuve.

Le médecin arrive le premier. Deux minutes d'examen lui suffisent pour confirmer à ses parents que Georges ne passera pas la journée, peut-être même pas l'avant-midi. Le prêtre est déjà avec Georges, qui a demandé à se confesser. Lorsque la porte de la chambre s'ouvre à nouveau, Minie (qui s'est ressaisie) et Charles y pénètrent. L'abbé Rouleau jette un regard de compassion aux parents, pendant qu'il administre l'extrême-onction au mourant.

— Georges, es-tu prêt à faire le sacrifice de cette vie que Dieu t'a prêtée?

— Oui, mon Père...

La voix est à peine audible. Minie a beaucoup de difficulté à se contenir, mais y parvient. Charles est impassible, livide.

— *Confiteor... Ecce Agnus Dei... Domine non sum dignus...*

Georges accueille l'hostie que le prêtre lui tend et ferme les yeux. Son visage est empreint d'une sérénité indicible. Minie se jette à genoux, à côté du lit, et prend cette main blanche et décharnée, abandonnée sur la couverture, dans les siennes. Elle laisse couler ses larmes, silencieuses, abondantes.

Le Dr Arpin, demeuré dans l'embrasure de la porte, observe la scène. Il s'approche à pas feutrés, soulève la paupière du mourant, pose son stéthoscope sur la poitrine, se retourne :

— Il est déjà au ciel…

Bernard rentre peu avant midi, l'air misérable et les yeux rougis. L'abbé Rouleau s'était chargé de le mander, à l'école et de lui apprendre le triste événement.

C'est en serrant Bernard contre elle, alors qu'elle a les yeux rivés sur la porte close de la chambre, où le corps de son fils gît encore, que Minie entend la cloche paroissiale, toute proche, trop proche, sonner le glas. Chacun des tintements lui semble autant de clous qu'on enfonce dans son cœur. Lorsque la dernière volée s'éteint, elle pousse un profond soupir et redonne à Bernard, si triste, sa liberté.

Cette épreuve est, pour Charles et Minie, le plus grand drame de leur vie de couple à ce jour. Georges était le fils préféré de Charles. Il était tout ce que celui-ci valorisait, étant discipliné, intelligent, habile de ses mains, sportif, disponible pour ses parents, pudique avec les femmes, poli, bilingue, en somme, le fils parfait selon les critères de Charles. Pour Minie, le calvaire a été de voir dépérir cet enfant qu'elle aimait, sans le préférer pour autant, de savoir qu'il n'y avait pas d'espoir, de savoir que dans deux, trois mois peut-être, il mourrait, sans rémission possible. Elle était devenue son infirmière, sa confidente, sa sœur.

Après les funérailles, Minie n'a rien de plus pressé que de désinfecter la chambre, gardée fermée jusque-là. Tous les objets personnels de Georges sont brûlés. Elle va plus loin : jugeant que l'époque des sévices a assez duré, elle lance dans le même feu, et sans consulter Charles, le fouet, à la grande satisfaction d'Armand qui en est le dernier tributaire. Bernard et lui, avec la désinvolture propre à leur âge, aident leur mère tout en s'amusant. Il y a déjà tellement longtemps que l'on a ri, dans cette maison. Armand, l'espiègle, saisit le crachoir de Georges, muni d'une anse et d'un couvercle à ressort, et qui ressemble à un bougeoir ancien. Un petit godet de carton ciré y était introduit et utilisé durant une journée, pour être ensuite détruit et remplacé par un propre. Armand s'est donc saisi de l'appareil et, imitant les efforts que faisait Georges, feint de cracher à son tour. Au premier son qui atteint l'oreille de Minie, celle-ci pivote sur elle-même, arrache l'appareil des mains d'Armand d'une main et, de l'autre, lui assène une gifle retentissante :

– T'es pas drôle !

Le ménage de la chambre terminé, Minie étale de vieux journaux sur le plancher, y verse, en se bouchant le nez, du formaldéhyde et sort précipitamment, refermant la porte sur elle-même. La pièce restera close pendant trois jours.

Dans la semaine qui suit, les murs sont repeints, mais Minie a déjà pris une grande décision :

– Charles, y' faut s'trouver autre chose. J'peux plus vivre ici !

– J'comprends. On va r'garder, ma vieille…

Lui aussi trouve pénible de se retrouver, quotidiennement, dans ce cadre encore imprégné d'un événement aussi douloureux.

Pour la première fois de leur vie commune, peut-être, Minie et Charles se sont solidarisés sur l'essentiel. Le 1er mai suivant, ils déménagent pour la huitième fois, mais contrairement à l'habitude, c'est Minie qui en a décidé et qui a choisi le futur logis.

⁌

C'est le plus beau logement que les Beauregard aient jamais occupé. La bâtisse a été construite un an auparavant, à l'angle des rues Beaubien et Louis-Hébert. Elle abrite le cinéma Beaubien, des commerces et quatre logements de cinq grandes pièces chacun. Le logis ne compte que deux chambres. Dans la plus grande, on peut aisément placer deux lits doubles, pied à pied, et il reste suffisamment d'espace pour circuler entre ces deux lits. Cet aménagement devient possible du fait que Victor habite maintenant ailleurs. Les patrons de Thrift — Stop & Shop lui ont proposé de parfaire sa formation en gestion en le nommant gérant itinérant. Il va ainsi d'un magasin à l'autre, surtout dans des villes de province, pour remplacer les gérants malades ou en vacances. Du vrai nomadisme, mais il adore. Entre ses différentes affectations, il revient à la maison, mais jamais pour plus d'une semaine à la fois. Il est alors davantage traité comme un visiteur.

Minie se souvient d'avoir été heureuse, dans ce nouvel environnement. Le logis est bien chauffé et la modernité de l'aménagement lui plaît. Elle profite aussi des services d'un concierge. Pour la première fois de leur vie, les hommes ont accès à une douche, un luxe! Minie préfère un bain… avec un peu plus épais d'eau, un peu plus chaude qu'avant. La distance qui sépare l'appartement de l'atelier est raisonnable, huit minutes de marche tout au plus. En somme, elle peut se permettre d'envisager des jours meilleurs.

Mais d'autres nuages commencent à obscurcir son firmament. La situation internationale, momentanément calmée par les accords de Munich, six mois plus tôt, se détériore de nouveau. Un conflit, en Europe, peut éclater à tout moment. Quand on est mère de cinq garçons, dont quatre sont âgés de dix-huit à vingt-cinq ans, il y a de quoi s'inquiéter. Le conflit éclate, effectivement, en septembre de la même année. Mais, encore là, la guerre n'a rien à voir avec l'épreuve suivante de Minie.

Bernard tombe malade. Les premiers symptômes inquiètent Minie et Charles au plus haut point. C'est qu'ils ressemblent étrangement à ceux que Georges a éprouvés, à peine plus d'un an auparavant. Le médecin de famille est rapidement appelé au chevet du jeune malade. Il s'agit d'un nouveau médecin. Charles n'a pas apprécié les tergiversations du précédent, à l'endroit de Georges; il aime le considérer responsable de sa mort. Ce nouveau médecin, le Dr Autotte, diagnostique ce qui lui semble être une pleurésie purulente au poumon gauche. Mais, compte tenu des antécédents familiaux, il recommande de soumettre Bernard à un examen radioscopique et, pour plus de sécurité, à une analyse sanguine. Cette rapidité de décision plaît énormément à Charles qui, dès le lendemain matin, transporte Bernard dans ses bras jusqu'à la voiture, pour se rendre à l'Institut Bruchési situé rue Saint-Hubert, au coin de la rue De Montigny*. Là, le Dr Autotte procède lui-même à la fluoroscopie, sous la supervision d'un spécialiste de l'Institut.

Cet examen, et l'analyse sanguine confirment le diagnostic initial. Le traitement consiste donc, pour l'enfant, en un repos complet et au cours duquel, hebdomadairement, le médecin pratique des ponctions pulmonaires.

Le Dr Autotte juge tout de même plus prudent d'hospitaliser le jeune malade durant les six premières semaines. C'est ainsi que Bernard est conduit à l'hôpital Notre-Dame, dans l'annexe réservée aux enfants et qui, auparavant, était l'hôpital Saint-Paul. Pour ne pas inquiéter Bernard, on lui explique qu'il faut repeindre le nouveau logis et que l'odeur de la peinture lui serait néfaste. Cette période d'hospitalisation permet aux Beauregard d'adapter leur installation. La plus petite chambre, celle qu'occupaient Minie et Charles, devient la chambre du malade et ceux-ci coucheront provisoirement sur le divan double du salon. Le médecin a parlé d'une période critique de quatre à six semaines, suivie d'une convalescence de six mois.

Bernard prend rapidement du mieux. Il commence à circuler dans la maison cinq semaines après son retour. Pour l'encourager dans sa convalescence et répondre à l'un de ses vœux les plus chers, on lui procure un petit chien. Dans cette recherche, Victor a localisé à Magog un Boston Bull adulte, propriété d'un couple anglophone vieillissant. C'est une bête dressée pour la maison et facile d'approche. Le marché est conclu et, moins d'une semaine plus tard, George fait son apparition. Bernard et George deviennent

* Devenue le boulevard Maisonneuve.

inséparables. Mais ils sont si dynamiques dans leurs jeux et Bernard y consacre tant d'énergie qu'il subit une rechute, au poumon droit cette fois! Le même procédé est remis en marche : repos et ponctions. On garde George, mais il n'est plus permis à Bernard de jouer avec son compagnon — du moins, pas avant une guérison complète.

Minie, qui avait craint le pire, est fort encouragée malgré cet accident de parcours, qui coûte tout de même deux années scolaires à Bernard. Quand il retourne à l'école, en septième année, il se retrouve confrère de ceux qu'il appelait les « ti-culs de cinquième », auparavant! Mais Minie n'est pas inquiète pour son Bernard : il a toujours été un premier de classe.

ფ

Rien n'a pu empêcher la guerre d'éclater, en Europe, et Minie appréhende le pire pour ses gars. Aucun d'eux n'a l'intrépidité de se porter volontaire pour défendre la France, ou la glorieuse Albion, mais, la conscription survient et la menace se concrétise. Joseph et Victor sont successivement appelés sous les drapeaux, mais sont déclarés inaptes pour raisons médicales. Le cœur de Joseph est déjà défaillant — sans doute une séquelle de la fièvre typhoïde qui l'a terrassé, à quatorze ans. Victor est éliminé à cause de ses pieds plats, si Minie se souvient bien. Armand, qui se considère en meilleure santé, juge plus prudent de se porter volontaire. Il préfère l'aviation, escomptant que son métier d'horloger lui permettra d'être affecté à la réparation d'instruments de bord. Il se dit, avec raison, qu'il vaut mieux choisir un poste intéressant que de devenir troupier. Cette décision inquiète Minie au plus haut point. Elle comprend qu'un militaire volontaire peut se retrouver n'importe où. Charles tente de la convaincre que, dans les circonstances, c'est effectivement la meilleure décision à prendre. Armand est donc placé en apprentissage à la base de Saint-Thomas, en Ontario, et est reçu *instrument maker* après deux mois de formation intensive. Son affectation permanente est à

Gander, à Terre-Neuve, une base chargée des patrouilles anti-sous-marins, au-dessus de l'Atlantique Nord

Cette affectation d'Armand, à Gander, est assimilée à une affectation outre-mer, aux fins du service militaire. C'est toujours avec un pincement au cœur que Minie inscrit la mention *overseas* sur les lettres qu'elle lui adresse régulièrement, et qui sont soumises à la censure.

☙

Une situation bien particulière a été créée, en 1940. Le gouvernement fédéral vote la *Loi de la mobilisation des ressources nationales*. En vertu de cette loi, le gouvernement se réserve la possibilité de réquisitionner, par décret, les ressources nécessaires à la poursuite de l'effort de guerre canadien. Parmi ces ressources, il y a, au premier chef, les ressources humaines. Le gouvernement annonce, par l'adoption de cette loi, que tous les hommes âgés de seize à soixante ans pourront être appelés à servir à un titre ou à un autre. Mais seuls les hommes âgés de dix-huit à quarante ans, au onze juillet de la même année, et *célibataires*, sont susceptibles d'être conscrits pour un service militaire en territoire canadien. Or, la loi ayant été sanctionnée le 4 juillet, si Minie se souvient bien, les éventuels conscrits ont encore une semaine devant eux pour trouver une fiancée, se marier et être automatiquement exemptés. Cela donne lieu à ce qui fut rapidement appelé « la course au mariage ».

L'Archevêché se prête de bonne grâce à ce stratagème et ouvre les portes de ses églises presque jour et nuit. Les bijoutiers sont rapidement à court d'alliances et les manufacturiers doivent faire des heures supplémentaires, pour répondre à la demande. Bien des jeunes hommes sont allés veiller chez leur blonde, pour en revenir mariés. Souvent, ce sont les jeunes filles qui font la grande demande. Elles ne veulent pas perdre leur « cavalier »! Il se forme des files aux presbytères et la cérémonie, limitée aux mariés et aux deux témoins, ne prend que dix minutes. Minie se souvient d'un jeune homme et d'une jeune fille qui se fréquentaient depuis six ans, sans réussir à se décider. Leurs parents les ont traînés de force jusqu'à l'église!

Victor, qui a quitté son emploi pour ouvrir un magasin de fruits et légumes, rue Mont-Royal, angle Rivard, a rencontré, quelques semaines auparavant, une jeune fille de qui il est rapidement devenu amoureux. Il se sent suffisamment sûr de lui pour envisager d'entrer dans la ronde. Minie l'entend encore interpeller ses frères, un beau dimanche matin de la « course », et leur lancer, d'un lit à l'autre :

— Hé! les gars, si je l'voulais, à soir, j's'rais marié pis j'coucherais avec Bernadette! Wow!

— Es-tu fou, tu s'rais jamais capable!

— J'suis sûr que j'aurais rien qu'à lui demander, pis qu'elle dirait oui.

— J'te gage une piastre… T'es trop pissou!

C'est Joseph qui le provoque ainsi. Et Victor de poursuivre, à l'adresse de sa mère qui arrive :

— J'te dis, m'man, elle est assez belle pis fine qu'elle pourrait être la femme d'un docteur!

Mais il semble que Bernadette ne soit pas aussi pressée que lui car il rate l'échéance. Ils se marieront quand même, quelques semaines plus tard, le 24 juillet. Ce mariage devient rapidement fécond : bon sang ne peut mentir! Et Minie se souvient de la joie qu'elle éprouva à l'annonce de cette grossesse. Sa première petite-fille était en route. C'était un peu comme si Denise renaissait! Car elle était certaine que ce serait une petite fille. Et ce le fut.

Entre-temps, c'est au tour de Joseph de se marier avec Claudette, une jeune commis qu'il a embauchée au commerce de fruits et légumes, où il est devenu l'associé de Victor. Encore là, la naissance du premier-né ne se fait pas attendre. Mais cette fois, c'est un petit gars : André.

Minie doit se rendre à l'évidence : sa « gang de gars » se disperse. Mais elle n'en éprouve ni chagrin, ni nostalgie. Plutôt, une vague appréhension de se retrouver, éventuellement, seule avec Charles… Il ne reste que Henri et Bernard à la maison.

En 1942, alors que les fréquentations avec sa nouvelle amie Jeanne vont bon train, Henri est atteint de la tuberculose pulmonaire à son tour. Il doit quitter le travail et se mettre au repos. La convalescence se déroule tout de même assez bien. Tout au long de celle-ci, il est constamment étiqueté « négatif », c'est-à-dire : non contagieux. L'expérience aidant, les interventions médicales appropriées sont décidées plus rapidement, ce qui augmente les chances de guérison d'autant. Le risque pour lui d'être conscrit est donc rapidement écarté. Cette nouvelle maladie dans la famille consacre la vocation hospitalière de la chambre des parents. Minie et Charles doivent, encore une fois, se réinstaller au salon afin de laisser leur chambre à Henri.

❧

Quelque temps après sa guérison, Henri et Jeanne se marient. Sa situation à la Coopérative fédérée de Québec s'améliore, et Jeanne a un emploi qui semble la satisfaire. Le couple n'a aucune difficulté à s'installer dans un confortable logis de la rue Jean-Talon, coin de Lanaudière. Les logements étant devenus extrêmement rares, faute de mises en chantier, et le contrôle des loyers prévenant toute augmentation exagérée, Henri doit débourser deux cent cinquante dollars pour « acheter la clé », une pratique courante pour contourner la loi !

Bernard découvre une autre raison d'être heureux de ce mariage : il aura maintenant sa chambre à lui ! Au chapitre des relations entre couples, c'est Henri et Jeanne que Charles et Minie préfèrent fréquenter. Henri a une nature souple, sans doute façonnée par le contexte familial. Et il n'a jamais confronté son père, cherchant plutôt à lui rendre de menus services. Il faut dire aussi qu'ils ont une passion en commun : le bridge ! Les soirées de bridge pourront maintenant alterner de la rue Beaubien à la rue Jean-Talon.

C'est à peu près vers la même période que Charles confie à Minie :

182

— Minie, j'te surprendrai sûrement pas en te disant que j'songe sérieusement à me trouver une job de guerre. Ça nous aiderait, financièrement, sans compliquer not'vie pour autant.

— Non, tu m'surprends pas, mon vieux. Même que j'm'y attendais depuis un p'tit bout d'temps. J'commence à t'connaître!

— Bernard achève sa septième année. Y' m'a l'air d'être parti pour faire un horloger. Y' a une bonne main. J'vois pas pourquoi y' continuerait l'école. Y' pourrait travailler à l'atelier avec toi.

— Ça s'rait tout de même à lui de décider, tu penses pas?

— Oui, c'est sûr, mais…

Charles n'était pas très porté sur la scolarisation. Pour lui, un horloger devait savoir lire et écrire, avoir quelques rudiments d'arithmétique et de géométrie, un point, c'est tout. Plutôt que d'affronter Minie sur ce point, il juge préférable d'aborder le sujet directement avec Bernard, à la première occasion. Minie en a la confirmation quand, quelques jours plus tard, Bernard lui annonce :

— Ça' ben l'air qu'on va travailler ensemble, hein m'man?

Bernard s'était laissé séduire par cette perspective. Il avait trouvé assez pénible de reprendre sa septième année, abandonnée plus tôt, en compagnie d'élèves plus jeunes que lui. Ses anciens compagnons venaient de terminer leur neuvième et les rapprochements tentés en cours d'année n'avaient donné aucun résultat. Ils semblaient tous le considérer comme un cas à part, quelqu'un avec qui ils ne partageaient plus les mêmes intérêts. Ceci n'empêchait pas Bernard d'aimer l'étude et de bien réussir, mais il préférait encore la liberté à la discipline scolaire. L'occasion se présentait de faire le pas, maintenant que Charles avait l'intention d'aller travailler pour une usine d'armements. Il se disait qu'il deviendrait ainsi le « patron » de l'atelier, le remplaçant de son père. Pour un jeune de quinze ans, c'était tentant.

— T'es ben sûr, Bernard, que c'est c'que tu veux? T'aimerais pas mieux poursuivre tes études? T'as du talent, tu pourrais envisager quelque chose de mieux que l'horlogerie.

– Ben quoi? Horloger, c'est un bon métier. L'important, c'est de gagner honorablement sa vie, pas vrai?

Charles ne mit pas long à se trouver un emploi, et un nouveau régime s'installa dans la maison. Charles partait au travail tôt le matin, une exigence qu'il ne trouvait pas facile à satisfaire. Bernard allait ouvrir l'atelier vers neuf heures trente et Minie, le repas du midi préparé et sa portion ingurgitée, allait le remplacer vers midi trente, pour revenir à la maison vers quatre heures de l'après-midi. Charles faisait, le soir, les réparations dont la complexité dépassait la compétence de Bernard.

&

Deux ans après la naissance d'André, Victor et Joseph rompent leur association. Joseph se lance dans une entreprise dont Minie ne peut se rappeler la vocation, mais qui, pour une raison quelconque, n'est pas couronnée de succès. Claudette et lui doivent « casser maison », le temps de se reprendre en main et de se réorienter. Charles et Minie leur offrent de venir habiter chez eux. Le deuxième fils du couple, Pierre, vient de naître. Les parents de Claudette accueillent André, l'aîné, alors que le jeune couple s'installe avec le nouveau-né chez les Beauregard, dont le salon est transformé, encore une fois, en chambre à coucher. Minie ne se souvient pas de la durée exacte de cet épisode; un an, peut-être. Mais elle se rappelle avec quelle rapidité la connivence s'est installée entre elle et sa bru. Bernard aussi semble heureux de cet arrangement. Il n'y a que cinq ans d'écart d'âge entre Claudette et lui. Il avait toujours déploré ne pas avoir de sœur et voilà que les circonstances se chargeaient de lui en procurer une!

N'eût été de la maladie d'Henri et du sort incertain d'Armand, Minie pourrait dire de ces années de guerre qu'elles furent relativement paisibles et confortables. Boucler le budget familial n'était plus un problème et elle s'accordait de plus en plus de bon temps, avec ses amies de la chorale.

Voilà maintenant deux jours que Charles n'a pas ouvert la bouche. La maison est d'un calme inquiétant. On se déplace à pas feutrés, comme si chacun craignait de provoquer l'orage.

– Qu'est-ce qu'il a, papa ? Il n'a pas dit un mot depuis deux jours.

– Y' boude !

La réponse de Minie ne satisfait pas Bernard, mais il n'insiste pas.

Elle le sait bien, pourtant, ce qu'il a Charles ! Mais, comment expliquer tout ça à son fils ? Voilà plus d'une semaine qu'elle se dérobe à son « devoir », prétextant de quelconques malaises. Ce n'est pas la première fois, mais toujours, le même scénario se répète : de deux à trois jours de silence, rarement plus, et puis l'orage éclate. Tous les prétextes à récriminations sont alors exploités. Ces colères de Charles l'épuisent au plus haut point, mais elle se sent impuissante à y changer quoi que ce soit. « On ne peut pas empêcher la pluie de pleuvoir ni le tonnerre de tonner », se dit-elle à chaque fois.

Le lendemain matin, dimanche, Charles s'amène à table pour le déjeuner, l'air renfrogné.

– Torrieu d'baptême ! Es-tu capable de m'dire c'que t'as fait aux pruneaux ? Y' sont mous comme d'la marde ! J't'ai déjà dit que j'les voulais pas trop cuits ! Tu fais rien comme du monde !

– Pourtant, j'les ai fait cuire comme d'habitude.

– Ostineuse à part ça ! Quand j'te dis qu'y' sont trop mous, c'est qu'y' sont trop mous, un point c'est tout' !

– Correct, correct, y' sont trop mous ! On sait ben, y' a rien qu'moi qui peut s'tromper !

– Réponds-moi pas sur ce ton-là, parce que ça va aller mal ! Baptême, qu'ossé qu' t'attends pour m'apporter mes toasts ?

Bernard se retire de table et feint de lire le journal. Étrangement, lorsque ses parents se querellent, il est porté à demeurer sur place pour observer le déroulement du conflit. Il pourrait sortir, aller prendre le frais, permettre à ses parents de régler leur différend sans la présence gênante d'un enfant. Mais non! Il se fait le plus discret possible, n'intervient jamais, mais reste là. Minie ne saurait dire pourquoi. Elle peut difficilement imaginer que ça puisse être pour prévenir un geste violent de la part de Charles. Bernard n'est pas matamore pour deux sous et il craint Charles autant qu'elle-même.

— Tiens, les v'là, les v'là tes toasts!

— Y' est à peu près temps!

— Charles, tu pourrais pas t'calmer un peu? Tu sais comme ça me r'vire à l'envers, ces chicanes de niaiseries-là!

— Ah ben! Des niaiseries! Ça, c'est l'bout'! Tu trouves que j'chicane pour des niaiseries! T'as la mémoire courte, ma femme! À part ça, y' a pas rien qu' toi que ça r'vire à l'envers! Penses-tu que j'aime ça, quêter mon dû? Penses-tu que j'suis content d'être obligé de m' fâcher, pour avoir un déjeuner qui a du bon sens? Penses-tu qu'j'ai du plaisir à t'crier par la tête?

Charles vocifère de plus en plus. Il est déchaîné. Abandonnant les pruneaux trop mous et les rôties refroidies, il se met à arpenter la pièce rageusement, tout en poursuivant ses récriminations :

— Y' a jamais moyen de s'comprendre dans c'te maison 'citt'! Y' faut toujours que j'me fâche, pour avoir le p'tit peu qui me r'vient! Baptême que j'suis tanné!

— Pis moi, y' faut que j'quête pour m'acheter un mouchoir! Penses-tu que c'est ben plus drôle?

— Ben, justement, l'argent que tu m'as demandé pour t'acheter des souliers, là, tu peux oublier ça. J'en n'ai pas d'argent pour des souliers, pis j'en aurai pas pour une secouss'!

Il interrompt son va-et-vient devant Bernard, qui se cale un peu plus dans son journal.

— R'garde Bernard, là! Y' nous entend pis y' nous r'garde. J'suis sûr qu'y' se d'mande c'qu'y' pourrait ben faire pour nous aider à s'comprendre! Mais non! Y' a jamais moyen de s'comprendre sans s'fâcher, dans c'te maison 'citt'!

Tapie au fond de la cuisine, Minie commence à sangloter.

– Les larmes! On sait ben, y' faut que ça tourne à ça : les larmes! C'est tout' c'que tu sais faire, brailler! Pourquoi qu'tu y penses pas avant? Pourquoi que t'es pas capable de voir plus loin que ton nez? Baptême que j'suis tanné!

Minie éprouve de la difficulté à respirer. Elle ouvre la fenêtre de la cuisine, malgré le froid qui pénètre rapidement, et geint doucement. Charles la rejoint et referme la fenêtre. La peur du scandale, sans doute. Mais, comme toujours, cette menace produit son effet dissuasif. Il se calme quelque peu :

– Va t'allonger dans la chambre. Ça va t'aider à te r'placer. Pas besoin de geler toute la maison.

Elle veut rouvrir la fenêtre, mais il l'en empêche et la conduit, en la tenant par les épaules, vers la chambre. Minie pleure maintenant bruyamment. Sa femme allongée sur son lit, Charles, sans ajouter un mot, s'habille et sort.

Une autre de passée. « À quand la prochaine? » se demande Minie, entre ses sanglots.

ɕɔ

– Hé maman! Peux-tu garder l'atelier, aujourd'hui? J'peux pas rester en place! Y' faut absolument que j'descende en ville avec ma caméra. C'est trop spécial.

– Qu'est-ce qu'y' a de si spécial, donc?

– Comment, t'as pas écouté les nouvelles? La guerre est finie!

On est le 7 mai 1945 et l'Allemagne vient de capituler sans condition, comme l'exigeaient les Alliés. Bernard, qui s'adonne à la photographie de plus en plus sérieusement, ne peut laisser passer cet événement en restant bien coi à l'atelier. Les bulletins de nouvelles radiophoniques parlent d'une foule de plus en plus dense, venue célébrer dans les rues du centre-ville. Les écoles sont rapidement fermées, comme la plupart des commerces, d'ailleurs, les commerçants appréhendant sans doute le pillage.

Bernard saute dans le premier tramway et se retrouve à la place d'Armes en moins de trente minutes. La foule est effectivement en liesse. Des rouleaux de papier des machines à additionner sont déroulés à partir des plus hautes fenêtres des édifices de la rue Saint-Jacques. Les employés de bureau vident leurs corbeilles à papier dans la rue, en guise de confettis. C'est la folie collective. Bernard se rend aussi rue Sainte-Catherine. Aucune circulation n'est possible, la foule ayant envahi la rue. Mais Bernard remarque que les fêtards, sur cette artère, sont plus jeunes que ceux du quartier des affaires. Ces jeunes hommes — certains encore adolescents — déambulent en petits groupes et apprennent rapidement, à l'expérience, que les jeunes filles se laissent embrasser. La pratique se répand le temps de le dire! Bernard, racontant ces péripéties à sa mère, prétendit que son rôle de photographe l'empêchait de s'adonner aux mêmes licences. Mais Minie était certaine qu'il fallait mettre cette frustration davantage sur le compte de la timidité.

Minie est heureuse. Non seulement cette nouvelle annonce-t-elle le retour d'Armand pour bientôt, mais elle lève la menace de voir Bernard partir à son tour. La guerre eût-elle duré deux jours de plus qu'il aurait reçu son avis de mobilisation. C'était la carte de vœux que le ministère de la Défense nationale réservait à tout jeune canadien, lorsqu'il atteignait son dix-huitième anniversaire de naissance!

Au souper, lors de cette journée mémorable, Minie profite de l'absence de Bernard, toujours à la fête, pour aborder l'avenir immédiat avec son homme :

— Quand Armand va r'venir, as-tu l'intention de le r'prendre avec toi à l'atelier, Charles?

— J'verrais pas pourquoi. Avec son statut d'ancien combattant, il va pouvoir se placer facilement. J'm'entends mieux avec Bernard.

Ça, Minie le sait. Armand, enfant, était rapidement devenu le souffre-douleur de Charles. Une incompatibilité flagrante existe entre le fils et le père depuis toujours. Les directives, avis ou opinions de Charles sont régulièrement accueillis par un « oui, mais… » d'Armand, qui a pour effet de mettre Charles hors de lui. Déjà, le « oui mais… » déclenchait automatiquement la gifle, ce qui n'empêchait pas Armand de persister, les bras au-dessus de la tête pour se protéger. Il arrivait à

Armand de lever les bras avant même d'avoir proféré son « oui, mais… », tellement le rituel était devenu réflexe.

Mais l'entêtement suprême d'Armand fut d'avoir insisté pour recevoir une formation en horlogerie, alors que Charles l'avait jugé assez peu doué. Minie s'était inquiétée de voir Charles catégoriser ses fils en deux camps : les habiles et les maladroits. Mais, ce n'est qu'aujourd'hui qu'elle en mesure toutes les conséquences pour Armand. En faisant preuve d'un tel acharnement à se faire accepter par son père, il n'avait réussi qu'à envenimer leur relation. Minie admire davantage Victor — qui a subi le même rejet — pour avoir cherché à démontrer sa valeur autrement, par des activités où il excelle, d'ailleurs : le commerce d'abord, l'art du portrait, ensuite. Mais cette appréciation n'était pas pour autant une justification au comportement du père.

— À part ça, moi aussi j'vas r'venir à l'atelier, ajoute Charles. Tant que la guerre avec le Japon s'ra pas terminée, ça va peut-être retarder, mais les emplois de guerre, ça achève aussi. Y' a pas assez d'ouvrage pour trois hommes dans notre atelier.

Mais ce que Charles ne disait pas et que Minie pouvait aussi lire, en filigrane, c'est que Bernard ne coûtait rien à Charles. Il se satisfaisait de quelques dollars par semaine, en guise d'argent de poche, ainsi que du gîte et du couvert que ses parents lui offraient. Qu'on lui laissât sa liberté de mouvement et qu'on lui permît de s'adonner à tout ce qui piquait sa curiosité — comme la photographie, le tir à la cible et l'armurerie — suffisaient à le rendre heureux. Armand, maintenant âgé de vingt-quatre ans, aurait sûrement d'autres exigences.

Armand est démobilisé au mois de juillet. Il réintègre le foyer familial. Ces quatre ans lui ont donné de l'assurance avec tous, sauf avec son père. Minie observe que les mêmes difficultés et les mêmes réflexes sont là, même si l'interaction est plus pacifique. Elle prend l'initiative de sonder son fils à propos de ses projets d'avenir :

— Ben, pour tout d'suite, j'veux prendre des vacances; j'ai eu ma paye de *discharge.* J'ai l'goût de visiter New York pendant une couple de semaines. Après, on verra.

Il était effectivement à New York, le jour où le Japon capitula.

∽

— Charles, ça sonne, va ouvrir, j'ai les mains dans la pâte !

— J'peux pas, j'suis pris aux toilettes !

Minie s'essuie rapidement les mains car elle sait que les séjours de Charles aux toilettes durent longtemps et comportent un rituel inviolable. Elle trottine jusqu'à la porte d'entrée, appuie sur le bouton de déverrouillage et attend de voir apparaître les visiteurs, à la tête de l'escalier. Le bruit de petites jambes escaladant allègrement les marches indique l'arrivée de Joseph ou de Victor, avec femme et enfants.

— Joyeux Noël, grand-maman !

C'est André, l'aîné de Joseph, qui émerge le premier et se jette dans les bras de Minie. Claudette monte plus lentement, ayant les bras chargés de cadeaux emballés, précédée du cadet, Pierre. Celui-ci trouve sans doute les marches hautes pour ses petites jambes.

— Ça sent ben drôle, dans la maison, grand-maman, qu'est-ce que c'est ?

— Ça sent la perdrix au chou, André.

— Qu'est-ce que c'est, ça, d'la perdrix au chou ?

André semble inquiet. Cette odeur nouvelle lui indique qu'il devra manger quelque chose qu'il ne connaît pas. « Pourquoi qu'elle a pas fait' du spaghetti, comme j'aime ? » pense-t-il pour lui-même. Minie se prépare à répondre à sa question aussitôt qu'elle aura embrassé Claudette, qui les a rejoints. Puis, prenant André dans ses bras, malgré sa résistance et la fierté de ses trois ans :

— La perdrix, c'est un gros oiseau qui vit dans l'bois. C'est presque aussi gros qu'une poule. Ton grand-papa et ton oncle Bernard en ont rapporté plusieurs, quand ils sont allés à la chasse. J'les avais congelées pour vous les offrir aujourd'hui. Tu vas voir si c'est bon.

190

— C'est bon ?

— Oui, c'est bon !

— Où y' sont, mes cadeaux ?

— André ! On d'mande pas ça comme ça ! Attends que grand-maman t'les donne. Ah ! les enfants, y' nous font honte !

— Ben non, voyons, c'est pas grave ! Entrez, entrez, on va laisser la porte débarrée pour Joseph.

La célébration de la fête de Noël 1945 prend une signification particulière chez les Beauregard. Minie réunit toute sa famille pour la première fois depuis que cette satanée guerre a commencé. Non seulement ses enfants sont-ils tous présents, mais la famille s'est enrichie de trois brus et de quatre petits-enfants, Hélène, Louise, André et Pierre. Claudette et Jeanne, la femme d'Henri, sont enceintes. Armand est accompagné d'une amie, Gilberte. Minie n'a pas ménagé les efforts pour faire de ce repas de famille, un événement exceptionnel, et dont tous se souviendront longtemps :

— J'étais en train d'finir mes tartes à la « farlouche », quand vous êtes arrivés. Faites comme chez vous ! Claudette, tu connais les aires… J'vous rejoins dans deux minutes.

— André, déshabille-toi pendant que j'm'occupe de ton p'tit frère. T'es capable.

— Non, j'suis pas capable ! Mes bottes sont trop dures à ôter.

— T'es capable, niaise pas, là.

Quel plaisir Minie a eu aussi à dénicher un petit cadeau pour chacun de ses petits-enfants, à la mesure de son budget, et à les emballer soigneusement, indiquant le nom de chaque destinataire sur une étiquette. Quelle joie elle ressentira, tantôt, à voir ces petites mains fébriles défaire les emballages, et les yeux s'extasier devant leur modeste contenu. Les autres invités arrivent peu après.

— Si vous êtes d'accord, on va faire une table d'enfants pour commencer ; ensuite, on aura la paix. Pis inquiétez-vous pas, j'ai fait' rôtir un poulet pour les jeunes. J'me suis dit qu'y' aimeraient peut-être pas ça, d'la perdrix au chou.

Les jeunes mères ne demandent pas mieux que de l'avoir, la paix. Hélène, du haut de ses quatre ans, exerce une autorité presque tyrannique sur sa sœur et ses petits cousins.

– André, touche pas aux fleurs de grand-maman! Pierre, prends ta cuillère pour manger ta crème glacée. Louise, fais donc attention, t'as échappé une bouchée de tarte sur ta robe!

Tout ce monde mange à panse décousue :

– Claudette, c'est des tourtières comme ça que j'voudrais que tu m'fasses.

– Ah toi! Pourquoi qu't'as pas marié ta mère, ça aurait réglé ton problème!

On rit de voir l'impatience feinte de Claudette. Les frères aiment bien se retrouver, se taquiner et échanger des histoires. Minie est heureuse de constater qu'à ces occasions, les tensions et les rivalités qui existent entre certains disparaissent pour faire place à la joie, dans la plus pure tradition de Noël.

Fidèle à ses habitudes, Minie a aussi tricoté une paire de bas à motifs pour chacun de ses fils. Elle les a tous faits selon le même modèle, mais en différentes couleurs. Chacun choisit la paire qui lui convient le mieux.

Sur son dernier lit, elle se rappelle avoir connu d'autres Noëls merveilleux, des Noëls où le nombre des petits-enfants était plus grand, et Dieu sait combien elle les aimait! Mais elle se souvient aussi, avec tristesse, des adultes qui, au fil des ans, l'ont quittée.

☙

Ses vacances à New York terminées, Armand se lance en affaires avec un collègue bijoutier, ancien combattant comme lui. Il s'agit d'une fabrique de bijoux artisanaux. Après un départ prometteur, l'affaire périclite et en moins d'un an, Armand y perd quelques milliers de dollars. Il se retrouve chômeur et sans le sou. Cette mésaventure, ajoutée aux difficultés de réinsertion sociale particulières aux anciens combattants, affecte énormément son équilibre. Il devient taciturne et s'isole de plus en plus. Il en vient à passer ses grandes journées à la maison, en pantoufles et en robe de chambre. Il ne se rase plus et néglige son hygiène personnelle. La situation inquiète et désole Minie de plus en plus. Charles, lui, est généralement indifférent à ce que peut mijoter Armand. Aussi prend-il un peu de temps avant d'admettre que la situation n'est plus normale. Mais il n'est pas plus inspiré quant à ce qu'il faut faire, dans les circonstances. Armand commence à se plaindre de douleurs à la poitrine et semble inquiet, oppressé. Appelé à la maison, le Dʳ Autotte ne lui découvre aucun problème physique, mais confirme qu'il donne les signes d'une angoisse profonde. Il lui prescrit des calmants. Tous et chacun lui recommandent de se prendre en main et de « se grouiller un peu », mais ça n'a aucun effet. Sa condition se détériore rapidement. Il se met à prier constamment et cesse d'entretenir tout contact avec ses proches. D'une journéc à l'autre, il change.

— Mais qu'est-ce que t'as, mon gars? C'est quoi qu'on pourrait faire pour t'aider? Dis-le. J'suis ta mère, après tout; tu peux m'faire confiance…

— Il faut suivre la ligne droite. C'est elle qui conduit où il faut aller. Je marche sur la ligne droite. La ligne droite…

Il regarde sa mère avec une tendresse certaine et ajoute :

— Mère des anges…

— …

Et Armand retourne à son chapelet, dans l'obscurité du salon. Minie est de plus en plus déconcertée et se demande comment agir. En moins de trois jours, ce langage fait place à un jargon incompréhensible : « Rigridigridigridi, falatra, ampoum, quisswish… ». Les yeux de plus en plus hagards, il devient agressif. Bernard, qui lui apporte un bol de soupe, tout en essayant de le convaincre de s'alimenter, reçoit un coup de poing au ventre. La soupe les éclabousse tous deux. Quand Armand voit son père, ses yeux s'agrandissent encore plus et la véhémence du jargon s'amplifie. Ça devient terrifiant! Seule Minie, la « mère des anges », a encore un certain ascendant sur lui. Elle et Charles sont au désespoir. Quels secours aller chercher? Le médecin s'engage à voir ce qu'il peut faire, du côté des institutions psychiatriques, mais les prévient : « Si vous vous sentez menacés, n'hésitez pas à appeler la police. Il n'y a aucune chance à prendre. D'autant plus qu'elle a l'autorité de le faire hospitaliser sans délai. » Cette mise en garde, tout appropriée qu'elle soit, consterne Minie : son fils a perdu la raison, son fils est devenu fou à lier! Le mot ne franchit jamais ses lèvres, mais il est constamment dans sa pensée. Il a envahi tous les recoins de son cœur, menaçant de le faire éclater à tout moment. C'est une douleur insupportable.

Charles téléphone à un vicaire de la paroisse, qui est aussi un compagnon de bridge. Le chemin vers les institutions psychiatriques passe souvent par les presbytères!

– Je vais voir ce que je peux faire, mon pauvre Charles; ne perdez pas courage. Je vous rappelle dès que j'ai quelque chose de neuf.

Une autre journée s'écoule ainsi. Plus personne ne dort normalement dans la maison. Charles a alors une idée brillante : du temps où il était à l'emploi de la maison Mappin & Webb, il se trouvait, parmi la clientèle à domicile, de richissimes et influents anglophones qui, son anglophilie aidant, semblaient lui témoigner une honnête sympathie. Il défile rapidement des noms dans sa tête, cherchant qui pourrait lui être d'un plus grand secours. Il s'arrête sur celui de J. B. Peck, dont Minie revoit la somptueuse résidence de Senneville, sur les bords du lac des Deux-Montagnes. Elle y a accompagné Charles, lors d'une de ses visites professionnelles. Charles appelle M. Peck, lui explique la situation et l'urgence d'une démarche appropriée. Il appuie sur le fait qu'Armand est un ancien combattant à peine démobilisé d'une mission *overseas* :

– *I understand very well and I'll look into this immediately. I'll call you back personally today, my dear Mister Beauregard. I am glad you called me. Be hopeful* *.

---

* Je comprends très bien et je vais y voir immédiatement. Je vous rappellerai personnellement aujourd'hui, mon cher monsieur Beauregard. Vous avez bien fait de vous adresser à moi. Gardez espoir.

M. Peck a sûrement de bonnes relations, car dès le lendemain matin, une ambulance privée et trois infirmiers costauds viennent cueillir Armand, pour le conduire au *Allan Memorial Institute*, une clinique psychiatrique affiliée à l'hôpital Royal-Victoria. La vue d'Armand quittant la maison dans une camisole de force achève de déchirer le cœur de Minie. Elle fond en larmes et, dans un geste rare, se réfugie dans les bras de Charles.

Il s'écoule deux jours avant que des nouvelles ne parviennent de la clinique : l'institut n'étant pas équipé pour traiter les cas lourds comme le sien, Armand a été admis au *Verdun Protestant Hospital*. Aux dernières nouvelles en provenance de l'hôpital, Armand réagit bien au traitement. Ses parents pourront le visiter dans une semaine environ. Plus d'informations leur seront communiquées au moment opportun. Minie pousse un grand soupir de soulagement. Enfin, elle a l'assurance qu'Armand reçoit les soins appropriés.

Dix jours plus tard, par un beau dimanche après-midi, Charles et Minie se rendent à Verdun. Minie revoit maintenant l'endroit : une vaste propriété, située aux limites ouest de la ville. Le terrain est si grand que du boulevard LaSalle, on aperçoit difficilement les édifices. Minie se souvient surtout que les gens, en passant devant cette institution, se disent entre eux : « C'est l'hôpital des fous! » Ce souvenir lui fait mal. Après s'être présentés au comptoir des renseignements, ils suivent un préposé, tout de blanc vêtu. Il porte une ceinture munie d'une longue chaîne et au bout de laquelle pend une énorme clé. Le préposé leur fait franchir, ainsi, une bonne demi-douzaine de portes, qu'il déverrouille l'une après l'autre. Ce rituel, et la vue de patients dont les expressions ou les comportements révèlent la détresse, portent l'anxiété et les inquiétudes de Minie à leur comble. Elle se demande bien dans quel état elle reverra son Armand, malgré les bonnes nouvelles reçues. Charles, crispé, marche comme un automate, le regard droit devant lui, n'osant regarder quoi ou qui que ce soit. Ils atteignent ainsi une vaste salle, meublée de nombreux fauteuils, une sorte de parloir, où le préposé les invite à s'asseoir. Quelques minutes plus tard, la porte s'ouvre et un Armand rayonnant apparaît. Aussitôt qu'il a repéré ses parents, il presse le pas et vient embrasser sa mère :

– Bonjour, maman. Eh! que j'suis content de t'voir! Bonjour, papa…

Minie n'en revient pas. Elle regarde son fils : il a pris du poids et a bonne mine. Elle entend Armand dire à quel point il se sent en forme; elle l'entend parler de ses compagnons, de son médecin, de la routine quotidienne en des termes tellement simples, tellement naturels, sans pudeur et sans honte, qu'elle en est médusée. C'est comme si elle doutait, en ce moment même, d'être effectivement éveillée, tellement le cauchemar des dernières semaines lui a semblé affreux. La réalité récente et la réalité immédiate se confondent dans sa tête. Où est le cauchemar, où est la réalité? Elle regarde de nouveau Armand. Non, elle ne peut plus en douter : le mauvais rêve, c'est bien des dernières semaines qu'il est fait; tout semble indiquer qu'il est enfin terminé.

Au terme de la visite, elle lui remet le petit pot de gelée de pommes maison qu'elle a apporté en cadeau. Puis, Charles et Minie rencontrent le Dr Lehmann. Celui-ci leur explique qu'Armand souffre d'une forme de schizophrénie. Il reçoit régulièrement des électrochocs, l'un des deux traitements utilisés, dans ces cas-là — l'autre étant les injections d'insuline. Il répond bien à la thérapie, ce qui est assez normal dans le cas d'une première crise. Les risques de rechute existent, toutefois. Dans un mois, tout au plus, il aura son congé. Le succès à long terme dépend d'Armand et de son entourage.

Le retour vers la maison se fait dans le silence, un silence détendu mais appréhensif, chacun se demandant de quoi la suite des jours sera faite, et quel pourra être son rôle auprès du malade. Pour Minie, une chose est sûre : elle a eu son lot d'épreuves, jusqu'à maintenant. Si elle se rappelle la tristesse éprouvée, lors de la maladie et de la mort de Georges, jamais, jamais elle n'a autant souffert dans tout son être qu'au cours de ces dernières semaines.

11

Toutes ces réminiscences, et surtout le souvenir de la première crise d'Armand, ont épuisé Minie. Bien que pressée d'en finir, elle est consciente d'avoir encore quelques lourdes pages à tourner, dont une en particulier.

Elle revoit son fils Henri. Henri n'est pas costaud. Il ne l'a jamais été. Mais depuis quelque temps, Minie ne lui trouve pas bonne mine. Ses questions n'obtiennent pas de réponses utiles, qu'elle les adresse à Henri ou à Jeanne.

– Vois-tu ton médecin régulièrement, Henri?

– J'ai pas à l'voir, j'suis correct!

Elle n'en est pas aussi certaine. Il lui semble que Henri craint d'affronter la vérité. Plus le temps s'écoule, plus le manque d'énergie de Henri se manifeste. Il commence à écourter ses semaines, puis ses journées de travail. Quand il se décide à consulter son médecin, la prescription est catégorique : repos complet immédiat. Au bout de quelques semaines, il devient évident que ce régime ne sera pas suffisant pour le remettre sur pied. Son médecin lui recommande le sana. Henri s'y refuse catégoriquement : il ne veut pas se séparer de Jeanne. C'est alors qu'il échafaude un projet de convalescence original. Henri connaît un habitant de Chénéville, sur les bords du lac Simon, où il a passé des vacances quelques années auparavant. Il projette de s'y retirer et y amènera aussi sa petite famille. Les examens médicaux ont confirmé le diagnostic initial : négatif. C'est toujours ça d'assuré. Il s'informe auprès d'Eusèbe Pilon — c'est le nom de l'habitant — de la possibilité de réaliser son projet. Il faudra construire une maisonnette capable de supporter l'hiver, mais assez près de la maison d'Eusèbe pour que lui, Jeanne et Marielle, qui aura bientôt deux ans, puissent s'y rendre prendre leurs repas. Les partenaires tombent d'accord sur un prix ; il ne reste qu'à vendre l'idée à Jeanne. Minie ne se souvient pas comment cette transaction s'est déroulée. Le projet exige que Jeanne abandonne son travail et que le couple « casse maison ». Ce sont des décisions ni faciles ni agréables à prendre, mais elles sont prises. La petite famille s'installe au lac Simon, en décembre 1947. Tout ce remue-ménage n'a pas favorisé la convalescence de Henri, déjà très amaigri quand le trio quitte Montréal.

Minie se souvient être allée les visiter, avec Charles et Bernard, un mois plus tard, vers la mi-janvier. De Chénéville, au nord de Montebello, il a fallu prendre une autoneige Bombardier pour atteindre le lac Simon. Toute une aventure !

Elle trouve que Henri n'a pas bonne mine :

— Comment ça va ?

— Ça r'monte, ça r'monte…

— Tu te r'poses, au moins ? J'espère que tu cours pas l'bois en raquettes !

— Ben non, voyons… quand même !

Jeanne est tout aussi optimiste que Henri :

— Le bon air semble lui faire du bien, il a pas mal plus d'appétit.

Minie n'est pas convaincue, mais essaie de mettre ça sur le compte des mauvaises expériences passées :

— Qu'est-ce que t'en penses, mon vieux ? C'est-tu moi qui a la berlue ou pas ?

— Ben, y' est pas rougeaud, mais si y' prend soin d'lui, j'vois pas pourquoi y' r'montrait pas la côte.

Entre les visites, les échanges de lettres sont toujours à l'optimisme. « On pense descendre pour Pâques », écrit Jeanne. L'inquiétude ronge Minie quand même. Vers la fin février, elle propose à Charles d'aller les voir. L'aventure est répétée, avec la différence qu'il y a encore plus de neige. L'autoneige n'a même plus besoin de contourner les clôtures de ferme : il n'y a pas un piquet en vue! Bernard a apporté sa caméra et il croque quelques paysages inoubliables.

Quand Minie revoit son fils, elle est atterrée. Il a encore maigri, comme si c'était possible! Il n'a plus la force d'aller prendre ses repas à la maison d'Eusèbe; on les lui apporte sur un plateau. Malgré cette détérioration apparente, le moral de toute la petite famille tient bon. Marielle est une enfant pétante de santé et Jeanne semble en bonne forme. Tous sont convaincus qu'on passera Pâques à Montréal. Le courrier, un peu plus tard, vient confirmer le projet. Jeanne, dans sa lettre, sollicite la permission de confier Henri à ses parents; les siens n'ont pas l'espace voulu pour les accueillir tous. De plus, Jeanne a plusieurs courses à faire, pendant leur séjour; elle se sentira plus tranquille si elle sait Henri entre bonnes mains. Comment dire non? Minie accepte.

Le voyage se fait le dimanche de Pâques. Le frère de Jeanne s'est engagé à aller les chercher en voiture. Ils arrivent à Montréal en début d'après-midi. Henri, qui n'a plus la force de marcher, est monté chez ses parents dans les bras de son beau-frère. Quand Minie le voit apparaître, en haut de l'escalier, son sang se glace. Elle a envie de crier : « Mais ce n'est pas mon fils que vous m'amenez, c'est un cadavre! » Bernard fait mentalement le rapprochement entre l'apparence de son frère et ces photos montrant les juifs libérés du camp de Dachau ou d'Auschwitz. Il doit peser moins de cent livres!

On a aménagé un lit temporaire dans le salon. C'est fait rapidement, on a l'habitude! Henri y est installé. Après un échange sommaire, Jeanne, visiblement exténuée, demande la permission de se rendre chez sa mère, avec Marielle, prendre un peu de repos. Elles partent peu après. Henri semble heureux de se retrouver chez ses parents. Il y a moins de quatre ans qu'il a quitté cet endroit familier, où il a été bien soigné lors du premier épisode de sa maladie. La journée s'achève calmement, sans grande exubérance.

Le soir, en se mettant au lit :

— Charles, si ça t'fait rien, demain on va faire venir le docteur Autotte, pour en avoir le cœur net. J'aime pas ça. J'aime donc pas ça…

— C'est ben correct. Tu l'appelleras.

Le docteur Autotte se fait laconique : « Il en a pour au plus une semaine », confie-t-il à Minie et à Charles. C'était donc ça ! On l'a ramené mourir chez ses parents…

— J'peux la comprendre. Être pris avec un mourant, dans une p'tit' cabane, en pleine nature, c'est pas facile à vivre. Mais pourquoi qu'a nous l'a pas dit, simplement ? On aurait été d'accord quand même.

— C'est ça qu'j'aime pas, Minie, m'faire passer un sapin.

Et Minie pense alors à Marielle :

— Pauv' p'tit' fille ! Elle se rappellera même pas d'son père.

Minie préfère vaquer à ses occupations, plutôt que de trop chercher à comprendre le passé ou à prévoir l'avenir. La semaine s'écoule si lentement qu'elle paraît interminable. Seul Henri semble heureux. Ses frères Joseph et Victor viennent le voir ; Minie les a mis au courant du pronostic. Victor, le bout-en-train, réussit à faire rire Henri. Armand, qui vient de vivre un second épisode de sa maladie, est plutôt fébrile. Il a eu son congé de l'hôpital à peine deux semaines plus tôt. Pour Charles, son état est plus inquiétant que celui de Henri.

Les premiers jours, Henri a manifesté le désir de manger à la table familiale. Armand et Bernard ont imaginé de le véhiculer, du salon à la salle à manger, assis sur l'humidificateur. Cet appareil est muni de roulettes, ce qui permet de le déplacer assez facilement. Bernard maintient Henri dans la position assise, pendant qu'Armand pousse l'appareil jusqu'à la salle à manger. Mais après deux ou trois jours de ce manège, Henri choisit de laisser tomber. Ses forces diminuent rapidement.

Le dimanche suivant, une semaine après son arrivée, il devient évident que Henri ne passera pas la journée. Charles décide d'appeler Jeanne, qu'on n'avait pas revue depuis, et de lui faire part de l'état des choses. On demande à Bernard d'aller la chercher. Jeanne se fait accompagner de son frère. Elle est visiblement malheureuse et tendue. Minie l'accueille, elles s'embrassent :

– Pauv' p'tit' fille… c'est donc pas drôle!

Puis, s'approchant de Henri :

– R'gard', Henri, la belle visite qui arrive.

L'interpellation est nécessaire, parce que Henri garde les yeux presque constamment fermés, comme s'il se préparait intérieurement à son prochain voyage. On les laisse ensemble. Une vingtaine de minutes plus tard, Jeanne revient dans la salle à manger, qui fait temporairement office de salle de séjour :

– J'pense que Henri aimerait voir le prêtre.

Minie et Jeanne retournent au chevet du moribond :

– Quel prêtre t'aimerais qu'j'appelle, Henri?

Minie risque cette question, en apparence oiseuse, parce qu'elle sait que Henri connaît les prêtres de la paroisse. Peut-être a-t-il une préférence? Il esquisse un faible geste d'indifférence.

Quand il a reçu les derniers sacrements, Henri paraît rasséréné, en paix avec lui-même et l'univers. Il se détend et garde les yeux constamment fermés. Il semble se reposer. Les proches s'assoient dans les fauteuils disponibles; on est tout de même dans un salon, un salon devenu « pré-funé-raire »… Et la veille commence. Elle dure près de quatre heures, au cours desquelles la respiration de Henri ralentit, puis s'espace, devenant de moins en moins régulière. Vers la fin, il peut s'écouler trente secondes, parfois plus, entre chaque respiration. À chaque intervalle, chacun se dit : « Ça y est, c'est terminé », puis survient une nouvelle inspiration, longue et profonde, et l'attente reprend.

Vient le moment où tous constatent, en se regardant fur-tivement, que la précédente respiration a été effectivement la dernière. Les personnes présentes paraissent soulagées. Pour elles-mêmes ou pour Henri? Qui pourrait le dire?

Après les funérailles, Charles prévient Minie qu'il n'est plus question de revoir Jeanne.

— J'te trouve sévère, Charles. J'comprends qu'elle aurait pu s'y prendre autrement, mais mets-toi à sa place. Toute seule dans l'bois, avec un mourant. J'aurais paniqué, moi aussi.

— Tu l'excuseras tant qu' tu voudras, j'aime pas ça faire rire de moi comme ça. Du monde pas franc, moi, j'aime pas ça.

— Mais Charles, y' a la petite aussi. Moi, j'veux la r'voir. C'est la fille de Henri.

— Y' a pas d'ni ci, ni ça! Mon idée est faite. Si t'a r'vois, dis-moi le pas, pis d'mande-moi pas d' participer.

Minie est désolée de cette décision, mais n'en est pas surprise outre mesure. Elle connaît son grand Charles, fier, susceptible. Il suffit qu'il ait le sentiment d'avoir été abusé pour couper les ponts. Jamais il ne vérifie ou ne cherche à comprendre. Elle se demande bien, quand même, comment elle pourra revoir sa petite-fille et en avoir des nouvelles.

Se rappelant ces tristes moments, Minie remercie intérieurement son fils Victor qui, comprenant l'isolement de sa mère, a décidé de maintenir le contact avec Jeanne. À l'occasion, il l'invite à lui laisser Marielle, sous prétexte de lui permettre de jouer avec ses propres enfants. Comme par hasard, c'est toujours au moment où Minie doit passer chez lui.

Une autre inquiétude ronge Minie : est-elle responsable de la maladie de Henri? Au moment de celle de Georges, dix ans plus tôt, aurait-elle négligé une règle d'hygiène? Serait-elle la cause de ce nouveau malheur? Ce doute la fait terriblement souffrir, même vingt ans après, alors qu'elle s'apprête à les rejoindre, tous les deux…

❦

L'oncle Victor, le « mononcle le riche » de la famille, le grand patron et mentor de Henri, a assisté aux funérailles de son neveu. Ce fut sa dernière sortie publique. Un cancer de la prostate récidive et, au début de l'hiver suivant, il meurt à soixante-dix-neuf ans. Les frères et sœurs de Victor ont le deuil léger : le défunt n'a pas d'enfant et on sait qu'il lègue la quasi-totalité de sa fortune à ses frères et sœurs. Lui survit une veuve, malade chronique, mais son existence n'inquiète pas outre mesure les héritiers présomptifs.

Cet éventuel héritage avait alimenté les conversations des frères depuis des années. Chacun, tour à tour, se vantait d'avoir reçu les confidences du testateur, concernant une modification de ses dernières volontés. Le plus intéressé des héritiers potentiels était certainement Charles. Il n'avait pas d'économies, ses revenus ayant toujours suffi, tout au plus, à faire vivre sa « gang de gars ». Comme l'écart d'âge entre les deux frères était de quinze ans, il pouvait espérer voir son éventuelle retraite assurée par cet héritage. Cette perspective était-elle à la source de son ardeur mitigée au travail ? Il était permis de le penser. Minie en était convaincue. Tout arrivait à point, semblait-il à Charles.

Après les funérailles, les frères et sœurs sont conviés à l'ouverture du testament, aux bureaux de la maison Montreal Trust. Un notaire du nom de Coulombe, chargé du dossier, leur en fait la lecture :

L'an mil neuf cent quarante-six, le septième jour du mois de juillet.

Devant Mᵉ Anthime Poulin, notaire à Iberville, province de Québec.

Et en présence de MM. Georges Crevier, rentier, et Claude Goyette, facteur, tous deux de la même ville, témoins requis aux fins des présentes.

COMPARAÎT :

Joseph-Victor Beauregard, pomiculteur, demeurant à Iberville, comté d'Iberville.

LEQUEL

fait son testament dans les termes suivants :

1° — Je recommande mon âme à Dieu et je m'en reporte à mon exécuteur testamentaire ci-après nommé, quant à mes funérailles et messes après mon décès.

2° — Je donne et lègue à ma nièce Pauline, que j'ai toujours considérée comme ma fille et que j'ai élevée jusqu'à sa majorité, la somme de dix mille (10 000) dollars.

Charles et Aristide échangent un regard d'intelligence. Ils avaient toujours craint que cette nièce de Victor n'hérite de la part du lion. Le notaire poursuit :

Je nomme mes sœurs et frères : Léocadie, Anne, Aristide, Romain et Charles, mes légataires universels. La totalité de mes biens, de toutes natures, leur sera répartie au prorata du nombre de leurs enfants respectifs à la date des présentes...

On entend un murmure dans la pièce et chacun se regarde, incrédule. Cette clause-là, personne ne l'avait prévue ou n'en avait reçu la confidence. On fait de rapides calculs mentaux pour savoir qui sera avantagé et qui sera défavorisé. Charles, avec ses cinq fils, ne s'en tire pas trop mal. Si Georges n'était pas mort, aussi...

... Cette répartition surviendra après le décès de mon épouse Mariette Poulin, à qui j'accorde l'usufruit de la totalité de mes biens, exception faite d'une somme de deux mille (2 000) dollars, qui sera immédiatement remise à chacun de mes sœurs et frères susnommés.

Celle-là non plus n'était pas prévue. On s'attendait plutôt à ce que la veuve ne soit pas héritière, puisqu'elle jouissait d'une fortune personnelle respectable. Tout au plus lui concédait-on un montant forfaitaire, comme Victor en avait accordé un à sa nièce Pauline. Un sentiment d'insatisfaction gagne les héritiers. Charles, pour sa part, constate que cela retardera ses projets.

Le notaire achève de lire les clauses usuelles. Il met un peu de baume sur les plaies, en indiquant que des chèques individuels de deux mille dollars sont déjà préparés. Il les leur remet sur-le-champ.

Les frères et sœurs se donnent rendez-vous au Café de l'hôtel, où deux d'entre eux sont descendus, mais Anne, qui déteste ce genre de discussion, se désiste.

204

— Ouaïe! C'est pas tout à fait'c'qu'on s'attendait, hein Charles?

Aristide a fait sa remarque tout en bourrant sa grosse pipe crasseuse.

— Bah! Ça changera pas grand-chose. Mariette pourra pas durer ben ben longtemps sans Victor.

— Au fait', y' en a-tu qui savent comment qu'a va, de c'temps-là? A' était même pas aux funérailles. A' doit pas filer!

— A' est toujours pareille!

Mais Léocadie, qui a le don de contrarier ses frères, ajoute son grain de sel d'une voix nasillarde :

— Ben moi, j'me dis qu'elle peut nous surprendre! Ces malades-là, qui l'ont été toute leur vie, c'est habitué à survivre. Faites pas de grosses dépenses trop vite, les gars. Vous pourriez le r'gretter!

Mariette était de deux ans plus âgée que Victor. Comme Léocadie venait de le rappeler, elle avait été malade toute sa vie. Ses beaux-frères auraient aimé croire qu'elle ne survivrait pas à Victor bien longtemps — surtout qu'elle avait toujours été très dépendante de son mari. Mais elle dura ainsi huit ans, au cours desquels elle reçut régulièrement la visite de ses beaux-frères, tous soucieux de déceler, dans le bistre du teint, le cerne des yeux ou la précarité de la démarche, un indice annonciateur de la fin de l'usufruit.

Charles doit donc rester en poste à l'atelier jusqu'en 1957. Son plan de retraite est prêt depuis longtemps : il vendra l'atelier à Bernard, pour une somme nominale payable par versements et, grâce à l'héritage, se retirera dans une petite propriété, avec sa femme, quelque part en banlieue. Ce plan aura le double avantage d'asseoir la carrière de Bernard et d'assurer à Charles un revenu additionnel, étalé sur les deux ans du contrat de cession. Mais entre-temps, il se passe tout de même des choses. On ne peut vivre que d'attente…

❧

Minie voit défiler les années 1949-1957. Elles sont plutôt paisibles et heureuses. La stabilité psychique

205

d'Armand est toujours précaire, mais c'est une menace avec laquelle on a appris à composer. Suite à l'expérience de sa première crise, on connaît mieux les signes annonciateurs et le rôle des intervenants, en pareil cas. L'intervention préventive se fait, depuis, à point nommé.

Si on avait demandé à Minie d'indiquer les moments forts de cette période, elle aurait tout de suite évoqué l'émancipation de Bernard et leur installation à Sainte-Rose-de-Laval.

Minie avait observé, non sans inquiétude, que Charles avait pris l'habitude d'appeler Bernard son « bâton de vieillesse ». Depuis que celui-ci avait quitté l'école, pour se mettre en apprentissage aux côtés de son père, leur relation s'était rapidement révélée plus agréable. Bernard avait une bonne main et apprenait vite. Il était aussi d'un naturel serviable. Facile à satisfaire, il était devenu quelqu'un sur qui Charles pouvait compter. Les années de guerre l'avaient prouvé, alors que Bernard, encore adolescent, avait pu assurer la bonne marche de l'atelier en l'absence de son père. De là à s'imaginer que Bernard serait toujours là, prêt à se plier aux moindres désirs de Charles aussi longtemps que celui-ci vivrait, il y avait une distance que Minie s'était toujours gardée de franchir. Mais il lui semblait que son mari se méprenait gravement à ce sujet. Il utilisait cette expression ouvertement, devant n'importe qui, aussi bien avec les clients de l'atelier qu'avec la parenté.

Minie, originaire de la campagne comme Charles, connaît la dure signification du terme « bâton de vieillesse ». C'est ainsi que l'on surnomme les enfants qui acceptent de prendre en charge leurs parents vieillissants, en échange de la cession du bien paternel. Elle sait aussi qu'en pratique, les sacrifices ainsi consentis dépassent souvent de beaucoup l'avantage pécuniaire accordé. Elle craint que Bernard ne s'engage à respecter cette façon de voir, qu'il n'a pas nécessairement choisie. Mine de rien, tout en feignant d'être attentive au progrès de son tricot, elle aborde un jour la question qui la préoccupe :

— Qu'est-ce que ça t'fait, Bernard, de t'faire appeler le bâton d'vieillesse de ton père ?

— Bah! Ça m' dérange pas!

— Mais sais-tu c'que ça veut dire?

— Oui, ça veut dire qu'y' a l'air de compter sur le fait que j' s'rai toujours là. Et puis?

— As-tu l'intention d'être toujours là?

— Ben non, voyons! J'veux me marier, un jour, comme tout l'monde. Mais si ça lui fait plaisir de croire ça…

Minie se sent rassurée, mais se demande bien à quel moment l'avenir de Bernard se précisera

Il commence à se profiler l'année suivante. Les loisirs de Bernard sont tous consacrés à des activités concrètes. Ainsi, il a développé un intérêt pour la photographie, allant même jusqu'à installer, au sous-sol de l'atelier, une chambre noire dont il a monté lui-même la plus grande partie de l'équipement. Il pratique le tir à la cible, en compétition, et accompagne son père à la chasse. Ces dernières activités l'amènent à s'intéresser à la technologie des armes à feu. De plus, Bernard continue à travailler le piano, auquel Minie l'a elle-même initié. Il n'y a pas de temps mort dans sa semaine. Il ne compte que deux ou trois amis, qu'il ne rencontre qu'occasionnellement. Il semble même avoir éliminé toute présence féminine de son horizon, suite à quelques amourettes malheureuses. Seule Minie, qui connaît bien le côté organisé et rationnel de son « bébé », se dit que ce n'est sûrement que partie remise.

Lorsque Bernard atteint sa vingt-troisième année, il décide que le temps est venu de se mettre à la recherche d'une éventuelle compagne. Pour ce faire, il planifie, se disant que vingt-cinq ans est un bel âge pour se marier. Il lui faut donc commencer à s'y préparer. La première étape de cette démarche prend la forme d'une petite annonce, insérée dans la rubrique « La Petite Poste » de *La Revue moderne*.

— Hé! maman, tu sais pas combien j'ai reçu de réponses?

— J'en ai aucune idée…

— Quatre-vingt-quatre!

— Pas quatre-vingt-quatre!

— Oui! J'ai l'embarras du choix, hein! C'est l'fun…

Minie ne sait pas au juste comment il a procédé pour trouver la perle rare dans cet amoncellement de lettres, mais elle se souvient de ce beau dimanche après-midi où il leur a présenté une jeune fille très bien, musicienne et mélomane comme lui, domiciliée à Ville LaSalle. Charles est heureux de cette initiative et va jusqu'à féliciter Bernard de son bon goût. Minie commence à penser qu'elle s'est peut-être trompée à propos des visées de Charles. Mais quand, une dizaine de mois plus tard, un soir à table, Bernard commence à parler de se chercher un emploi à l'extérieur — afin de pouvoir envisager le mariage — l'attitude de Charles change radicalement :

— Mais pourquoi tu veux travailler en dehors ? Tu te rends pas compte que l'atelier va te r'venir, un jour ? T'es pas conscient que j'compte sur toi, pour me remplacer ; que tout'c'que j'fais, à l'atelier, c'est pour toi ? J'te blâme pas de vouloir te marier, mais y' faudrait que ton projet tienne compte de not' situation pis d'nos moyens. C'est sûr qu'on n'est pas assez riches pour te payer un logement ailleurs, mais si tu veux t'installer ici, avec Marie-Berthe, on va vous faire d'la place. J'suis même prêt à t' donner plus d'argent de poche.

— Écoute, papa, si j'veux me marier, c'est pour être indépendant. Marie-Berthe et moi, on veut s'installer chez nous, même si c'est modeste pour commencer. On veut pas vivre avec vous autres.

Bernard craint de ne pas s'être bien exprimé. Il poursuit :

— C'est pas qu'on vous aime pas, mais rester avec vous autres, c'est pas pareil. On n'aurait pas notre intimité, pis vous perdriez la vôtre. On aime mieux s'organiser par nous-aut' mêmes. J'le sais que vous avez pas les moyens de nous faire vivre. C'est pour ça que j'veux m' trouver une job en dehors.

Bernard, étonné de la réaction de son père, ne sait quoi d'autre ajouter. Mais Charles ne semble pas satisfait de cette mise au point. Visiblement irrité par le chambardement de ses projets à long terme, il hausse le ton :

— De toute évidence, Bernard, tu t'es laissé monter la tête, ou tu l'as perdue tout seul ! D'une façon comme d'une autre, j'peux pus avoir confiance en toi. Tu vas me r'mettre les clés d' l'auto, pis les clés d'l'atelier. Parce que quelqu'un qui est assez en amour pour pas comprendre le bon sens, y' est assez en amour pour prendre d' l'argent dans la caisse. T'as perdu ma confiance! R'donne-moi mes clés, pis débrouille-toi comme tu voudras. Pis oublie pas que quand t'auras trouvé la job que tu cherches, tu nous paieras une pension!

Charles a ponctué sa mise en demeure d'un coup de poing sur la table, comme il le fait quand il est fortement contrarié ou en colère. Minie est sidérée, mais elle connaît son homme. Elle juge préférable de ne pas intervenir sur-le-champ. Bernard tire calmement les clés de sa poche et les dépose sur la table, entre son père et lui. Minie est certaine que ce calme n'est qu'apparent, à en juger par son silence et la nervosité avec laquelle il dépose les clés, puis quitte la pièce. Elle en est toute troublée. Comment Charles a-t-il pu se méprendre à ce point? Comment peut-il réagir aussi durement, aussi injustement? Les choses ne peuvent sûrement pas en rester là. Elle s'y engage.

Ce n'est que la semaine suivante qu'elle juge le climat propice à une intervention. Depuis la remise des clés, Bernard doit prendre le transport en commun pour se rendre chez Marie-Berthe. Cela représente un trajet de deux heures et demie, aller-retour. Il s'arrange, avec la complicité de sa mère, pour avaler une bouchée avant l'heure du souper et, ainsi, prendre prétexte de ce long trajet pour éviter de manger à la même table que son père. Minie sent que ce froid fait souffrir Charles autant que Bernard.

— J'sais ben que tu t'en vanteras pas, Charles, mais j'pense pas m' tromper en disant que Bernard pis toi, vous êtes pas plus heureux l'un que l'autre. Pis que moi non plus, à c'compte-là.

— …

— Moi, j'trouve pas que son projet est si déraisonnable que ça.

— …

— Y' faudrait pas oublier que ça fait neuf ans qu'y' travaille pour nous deux, juste pour sa pitance, pis quelques piastres par semaine. Combien qu' tu y' donnes déjà?

— …

— Charles, j'te d'mande combien que tu donnes d'argent d'poche à Bernard ?

— Huit piastres.

— Huit piastres. Ah bon ! Y' m' disait, hier, qu'y' pensait s'trouver une place à cinquante piastres par semaine. Ça fait que c'est comme si y' nous payait quarante-deux piastres par semaine, pour sa chambre et sa pension. Ses frères nous ont jamais donné plus que dix piastres. Même si l'coût d'la vie a un peu r'monté depuis cinq ou six ans, c'est pas mal ben payé !

— T'oublies qu'y' a toujours pris l'char quand y' voulait, sans payer d'gaz.

— Correct, ôtons cinq piastres par semaine de gaz, y' en reste trente-sept pour sa pension. C'est encore pas mal ben payé…

Charles ne semble pas trop aimer l'approche de Minie, bien que, sans l'avouer, il cherche sans doute aussi un compromis. Il se montre légèrement impatient.

— Où c'est qu' tu veux en v'nir au juste ?

— Ben, j'pense qu'on peut pas blâmer un garçon de vingt-quatre ans de penser à s'marier ! Pis on peut pas l'blâmer de s'chercher un' job pour y arriver. On est même chanceux qu'y' nous d'mand' pas d'argent pour l'aider à s'marier. As-tu pensé à ça, mon vieux, qu'y' pourrait ben nous d'mander mille piastres ? Depuis l'temps qu'y' travaille pour nous autres, ça s'rait pas exagéré !

Minie a choisi ce montant à dessein. Charles contourne le piège, ou ne le voit pas.

— Aïe ! exagère pas, là !

— J'pense pas exagérer. En tout cas, j'me dis que si on peut pas l'aider, au moins, y' faudrait pas lui nuire.

— …

— Si tu veux savoir c'que j'en pense, même si tu me l'demandes pas, j'pense que l'moins qu'on peut faire, c'est de continuer à l'héberger sans y' charger une cenne, tant qu'y' s'ra pas marié.

— …

— Pis j'pense aussi que tu devrais y' r'mett' ses clés. Celles du char avec.

Charles ne dit rien. Minie juge que l'absence de réplique constitue un signe encourageant, ses désaccords n'étant jamais silencieux. Elle laisse le souper s'achever sans rien ajouter. C'est à lui de faire les premiers pas.

Deux jours plus tard, Charles interpelle Bernard, alors qu'il s'apprête à partir pour Ville LaSalle.

— Bernard, ta mère pis moi on a beaucoup réfléchi à ton projet, pis on veut te dire que, réflexion faite, tu peux compter sur notre collaboration. Même si tu travailles en dehors, tu pourras continuer à loger ici. On t'chargera rien.

Bernard, à la fois surpris et content de ce changement d'attitude, demeure néanmoins profondément blessé. Il ne peut que répondre un « merci! » assez sec. Charles s'empresse d'ajouter, comme s'il allait l'oublier :

— Et puis, tu peux r'prendre tes clés si tu veux!

Il les tire de sa poche pour les rendre à Bernard. Mais celui-ci fait un geste de refus :

— Non papa. Merci quand même, mais j'suis pas prêt à les reprendre. Un jour peut-être, mais pas pour le moment. J'déteste pas voyager en tramway, ça m'permet de réfléchir.

Et il quitte sans autre commentaire.

Minie et Charles se regardent, puis Charles détourne la tête. Elle se dit qu'il n'est pas fier de lui. Mais connaissant l'orgueil de Charles, Minie choisit de ne pas insister. Il pourrait éclater et détruire le peu qu'il vient de réparer. Elle est tout de même assez contente de son succès et se promet de panser la blessure de Bernard à la première occasion.

Celle-ci se présente, peu après.

— T'es encore fâché contre ton père?

— J'suis pas fâché, j'suis déçu! J'le comprends pas!

— Y' t'aime ben, dans l'fond. Même si… ça paraît pas toujours.

— Penses-tu la même chose pour toi-même?

— …

211

— Depuis qu'j'suis tout p'tit qu'y' m'fait peur. J'le respecte, j'le trouve intelligent. Il a des qualités que j'admire, mais… il m'a toujours terrorisé. C'est pas une vie, ça !

Bernard se déplace de long en large, entre le fauteuil de sa mère et la table, en proie à une vive agitation :

— Ah ! moi, y' m'a jamais touché, mais les autres y ont goûté en 'tit pépère ! Toi aussi quant à ça !

S'arrêtant subitement :

— Regarde c'qui arrive à Armand. C'est pas par hasard qu'y' est malade de même !

— J'sais ben, j'sais ben… Mais c'est ton père quand même, comme c'est mon mari… Y' faut pardonner…

— Pardonner ? En tout cas, j'serai pas de même avec mes enfants, plus tard. Tu peux être sûre ! J'veux pas y' r'ssembler, J'VEUX PAS !

ও

Bernard a dû reporter sa recherche d'emploi parce que la maladie d'Armand est réapparue.

Celui-ci a acheté, quelque temps auparavant, un atelier d'horlogerie rue Saint-Jacques, à l'ouest de la rue McGill. Armand n'habite plus avec ses parents depuis la dernière manifestation de sa maladie. Ses thérapeutes lui ont conseillé de couper les liens d'avec son père. Il a donc pris chambre et pension dans une famille. Il n'y a que le téléphone pour savoir comment il va. Minie le connaît assez pour détecter, au tour que prend la conversation, si tout est sous contrôle ou si, au contraire, il manifeste des signes d'instabilité. Armand mène une vie de solitaire. Il a peu d'amis et, surtout, pas d'amie. Il a déjà confié à Bernard être encore puceau. En quittant sa famille pour le service militaire, en 1941, son père l'avait mis en garde :

— Armand, y' a deux grands dangers qui vont t'guetter dans l'aviation : la boisson pis les femmes. Tiens-toi loin des deux, surtout des femmes. C'est poison !

Il est fier d'avoir respecté la directive de son père à la lettre, malgré de fréquentes tentations. Le mode de vie qu'il mène, depuis sa démobilisation, n'est pas le régime idéal pour une personne dans sa situation. Cela peut expliquer ses rechutes répétées.

Charles, avec l'aide de Victor, a mené une dure lutte auprès du ministère des Anciens combattants pour que la condition d'Armand soit reconnue comme séquelle de son service militaire. Après un an de bagarres épistolaires, souvent par avocats interposés, il a gagné son point et, lors d'une rechute récente, c'est à l'hôpital pour anciens combattants de Sainte-Anne-de-Bellevue qu'Armand a été traité. Il est assez fier de cette victoire et Minie se sent également rassurée. Charles croit aussi préférable que son fils soit pris en charge par d'autres que ses frères, lorsque lui-même ne sera plus de ce monde.

De nouveau, la rémission d'Armand est de courte durée. Un jour que Bernard passe à l'atelier de son frère pour le saluer, il détecte les signes d'une crise imminente et en informe son père.

Charles prend au sérieux les observations de Bernard. Il en informe la travailleuse sociale de l'hôpital, la prévenant qu'il leur amènera Armand d'ici deux jours :

– J'ai pas ben ben l'choix, Bernard, que de te d'mander de garder l'atelier d'Armand, en attendant qu'on sache si c'est grave ou pas. Es-tu d'accord?

– J'ai pas ben ben l'choix que d'accepter. Mais j'espère que ce s'ra pas long, parce que j'ai des projets que j'ai pas l'goût de retarder.

Charles suggère à Minie d'intervenir auprès d'Armand, de lui faire accepter de consulter ses thérapeutes. Elle peut l'assurer que Bernard se chargera de son atelier, en son absence, et qu'il verra à bien servir sa clientèle. Tout sera comme avant, quand il reviendra. La « Mère des anges » sait qu'elle seule peut accomplir cette mission et, tout comme Bernard, elle accepte.

Minie est surprise de la facilité avec laquelle elle convainc Armand de se prêter à cette démarche. Peut-être se sent-il en détresse comme jamais?

213

Son séjour à Sainte-Anne-de-Bellevue est plus long que prévu. Au bout de trois mois, Bernard donne des signes d'impatience :

– Écoutez, j'ai droit à ma vie, moi aussi! Si j'avais déjà ma nouvelle job, vous m'auriez pas demandé de démissionner pour m'occuper d'l'atelier d'Armand, hein? Pourquoi que j's'rais obligé de patienter encore longtemps?

– T'as raison, Bernard, mais c'est pas pour rien qu'c'est arrivé comme ça. L'bon Dieu sait c'qu'y' fait. Pense à ton frère. Lui aussi peut prétendre à une plus belle vie que celle qu'y' a. Y' faut tout' y mettre un peu du sien.

Minie essaie d'amener Bernard à se soumettre au destin. Mais elle doit reconnaître avoir elle-même de la difficulté à comprendre comment un Dieu infiniment bon peut s'acharner ainsi sur ses pauvres créatures humaines.

– De toute façon, cet atelier-là, c'est pas une place pour lui remonter l'moral. C'est sale, c'est triste, c'est dans un quartier plein d'robineux, pis c'est même pas payant. Moi-même, j'commence à en avoir jusque-là!

Et Bernard étale le chiffre d'affaires des dernières semaines. Charles et Minie doivent convenir que ce n'est pas rose :

– C'est à peine si j'travaille deux heures par jour, en moyenne. Quand on passe le reste du temps à tourner en rond, dans un endroit sordide, c'est assez pour r'virer fou n'importe qui.

Sa mère lui jette un regard tel qu'il lui fait regretter sa dernière phrase. Il enchaîne, comme pour la faire oublier :

– Non, sérieusement, y' a rien à faire avec cet atelier-là. On devrait le fermer. Armand est mieux de s'organiser une vie plus saine que ça. Ce s'rait pas difficile de trouver mieux! À part ça, c'est un quartier qui va disparaître, ça s'ra pas long. C'est plein de locaux vides, que personne loue. La démolition va venir, c'est certain.

Il s'écoule encore un mois avant que la suggestion de Bernard s'impose comme la seule solution raisonnable, dans les circonstances. Armand va mieux, mais les soignants ne le jugent pas assez stable pour reprendre son mode de vie antérieur. Charles et Bernard lui soumettent donc le pour et le contre de la décision envisagée, en présence de ses thérapeutes. À la fin, Bernard obtient un mandat du curateur public pour liquider les biens d'Armand et fermer l'atelier.

Toutes ces péripéties ont retardé d'autant le mariage de Bernard. Mais le 30 août 1952, le grand jour est enfin arrivé! Minie est heureuse pour lui. Il a bien mérité de mener enfin la vie à laquelle il aspire. La famille de Marie-Berthe, entre-temps, est déménagée à Verdun. C'est donc en l'église Notre-Dame-de-Lourdes que la cérémonie est célébrée.

C'est un mariage simple et le jeune couple s'acquitte lui-même de tous les frais. Minie revoit des images de la réception, qui réunit cinquante convives à l'hôtel Queen, rue Windsor. Cet endroit lui rappelle les soirées de bridge, à la chambre de l'oncle Victor, lorsque celui-ci y descendait pour affaires en compagnie de Mariette. En ces occasions, il n'avait rien de plus pressé que de téléphoner à son frère et à sa belle-sœur pour les inviter à se joindre à eux. Il arrivait que Henri et Jeanne s'ajoutent au quatuor.

Mais, au-delà de ces images, elle se rappelle surtout que ce mariage signifiait le retour à la vie à deux, avec Charles. Minie, appréhensive, essayait d'imaginer ces journées où un Charles retraité serait constamment dans la maison, sinon sur ses talons. Et elle ne pourrait certainement plus se faire une petite grillade de lard, en cachette, ou grignoter une tablette de chocolat, malgré les interdictions de son médecin!

12

L'INFIRMIÈRE s'y prend à plusieurs reprises pour prendre son pouls, tâtant l'envers de son poignet, cherchant l'endroit qui lui en donnera la meilleure lecture. Minie sent le froid l'envahir, lentement. Elle a de la difficulté à garder les yeux ouverts et sa mémoire s'obscurcit. Elle sait que la délivrance approche, mais ne ressent ni douleur ni crainte. Comment éprouver du mal quand on ne ressent plus rien… ou si peu?

Elle revoit, confusément, son dernier déménagement et son installation à Sainte-Rose-de-Laval, au 12, place Joly. C'est un modeste bungalow qu'ils ont déniché, après plusieurs semaines de recherches, en parcourant les petites annonces de *La Presse*. Dès que l'acquisition est confirmée, les choses se précipitent : Charles cède son atelier à Armand pour une somme modique. Il conserve néanmoins son outillage personnel, ayant l'intention de transformer l'une des pièces du bungalow en atelier d'horlogerie. Quelques réparations par-ci, par-là, aideront sûrement à arrondir les fins de mois. Et puis, il ne veut pas perdre la main, objet de sa plus grande fierté.

Évidemment, tout cela est devenu possible grâce à la veuve de Victor qui, enfin, a décidé d'aller rejoindre son mari. Le règlement de la succession a exigé plus de temps que prévu, mais Charles reçoit finalement sa part d'héritage : quinze mille dollars environ. Depuis près de dix ans que cette succession est en fidéicommis, l'inflation a quelque peu réduit le pouvoir d'achat que peut représenter cette petite fortune, mais c'est beaucoup plus que Charles n'a jamais possédé. Plutôt que de payer la maison entièrement, il préfère prendre une hypothèque et acquérir une voiture neuve. Toujours aussi anglophile, il arrête son choix sur une voiture britannique, une Rover. Un superbe véhicule de taille intermédiaire : les banquettes, toutes de cuir authentique, et le tableau de bord, de noyer circassien. Et silencieuse avec ça! Charles aime répéter le slogan publicitaire de la maison : *The poor man's Rolls Royce!**

Minie se souvient, avec un retour de chaleur dans tout son corps, du plaisir qu'elle a éprouvé à ne plus devoir monter d'escaliers. Plus le temps passait, plus ses jambes la faisaient souffrir, et l'escalier du 2388 de la rue Beaubien devenait de plus en plus pénible à grimper. Ceci ne l'empêchait pas d'aller jouer sa partie de « 500 » avec ses amies de la chorale, quand même. Ses amies de la chorale… Minie les revoit toutes défiler dans sa tête, en commençant par madame Gagnon, « Toinette », sa plus grande amie. Toinette et « Noré », son mari, ont pris leur retraite peu avant eux. Ils sont maintenant installés à Notre-Dame-du-Laus, sur la rivière La Lièvre, près de Mont-Laurier. C'est là que Charles et Minie les retrouvent, occasionnellement, pour une partie de pêche au doré. Les bons et beaux poissons qu'ils y ont pris, lors d'aussi bonnes et belles excursions! Comme elle aimerait revoir Toinette, entendre ses histoires croustillantes et en rire, une dernière fois! Un nuage obscurcit sa mémoire… Le visage de Toinette devient triste, comme si elle venait de recevoir une mauvaise nouvelle… Un second nuage passe dans la mémoire de Minie… Le passage du nuage se prolonge; Minie commence à s'inquiéter. Le soleil réapparaîtra-t-il? Au bout du nuage, l'église de Saint-Liboire surgit… Minie se revoit, à l'intérieur. Que fait-elle là? Elle est agenouillée sur un prie-Dieu, au centre de la grande allée, tout en avant. Charles occupe

* La Rolls-Royce du pauvre!

également un prie-Dieu, à ses côtés. S'agit-il de son mariage? Elle regarde autour d'elle. Ses enfants occupent les premiers bancs : Joseph et Claudette, Victor et Bernadette, Armand, Bernard et Marie-Berthe. Sont là, aussi, la plupart de ses petits-enfants, certains avec leurs copains ou leurs blondes. Elle cherche Henri et Georges du regard mais ne les voit pas. Pourquoi ne sont-ils pas avec les autres? Mais elle reconnaît tout à coup Marielle, parmi les enfants de Victor, avec les cheveux remontés et tout enrubannés; Marielle qu'elle voit trop peu souvent... L'officiant s'adresse à l'assemblée. Il est plus vieux et a le teint moins rose que celui du curé Chaffers. Elle ne l'entend pas très bien. Il semble parler de vie exemplaire, de nombreuses épreuves, chrétiennement acceptées, courageusement surmontées, de dévouement sans bornes. De qui parle-t-il au juste? Sûrement pas d'elle. Elle qui, souventes fois, aurait jeté la serviette; elle que la pensée de fuir a déjà assaillie. Fuir loin de toutes ces déceptions, loin de cet homme froid et dur qui est encore là à ses côtés, toujours là à ses côtés! Que pourrait-elle bien trouver à lui dire pour qu'il comprenne, enfin, qu'elle veut la paix... la paix!

L'officiant s'est tu. Alors qu'il remonte vers l'autel, l'orgue se fait entendre. Un duo entonne le *Panis angelicus,* de César Franck, une œuvre qu'elle connaît par cœur pour l'avoir si souvent chantée elle-même, avec la chorale. C'est bien le même orgue. Mais elle ne reconnaît pas les voix. Elle se retourne et constate, à sa grande surprise, que c'est Hélène et Bernard qui chantent : l'oncle et la nièce, bien droits, côte à côte. Ce n'est certainement pas le jour de son mariage! Il lui suffit de jeter un regard sur Charles pour se convaincre que ça ne peut être le même jour. Comme il a vieilli! Elle regarde ses propres mains, palpe sa peau parcheminée, tendue, prête à se fendre. Pourtant, Mlle Bachand attaque la marche nuptiale! Mais non, ce n'est pas elle, c'est Marie-Berthe.

Elle a plus de difficulté à descendre la grande allée. Charles marche aussi moins vite; elle remarque qu'il doit s'aider d'une canne. C'est la première fois qu'elle le voit en faire usage. Que lui est-il arrivé ? Elle ressent, soudain, une vague appréhension et scrute le mur, près de la porte : non, Moïse n'est pas là ! Elle pousse un profond soupir de soulagement. L'instant d'après, elle est dehors, sur le parvis. Tous ses enfants et ses petits-enfants l'embrassent et la félicitent : « Bon anniversaire, maman », « Bon anniversaire, grand-maman... » ; « Aïe ! un cinquantième, faut fêter ça ! » Cinquante ans... et elle regarde Charles, presque aussi droit, à ses côtés. Cinquante ans déjà... ou enfin... elle ne sait plus ! Minie éprouve de la difficulté à se tenir debout et trébuche, au moment d'embrasser Marielle. Tout vacille... et ses jambes, qui la font souffrir... et les cloches, qui lui défoncent les tympans... « Ça va, grand-maman ? » Elle se tient la tête à deux mains : « Arrêtez-moi ces cloches, je ne veux plus entendre de cloches, plus jamais ! Trop de cloches... de glas... de morts ! » Elle se retourne et se dirige vers le portique, où elle veut arrêter Jacques, le sonneur. Minie trottine derrière lui, observe à quel point il est courbé... Elle lui met la main sur l'épaule : « Arrête, Jacques, arrête ! » L'homme se retourne : ce n'est pas Jacques, c'est Moïse ! C'est Moïse qui ricane et tire sur le câble, de plus belle... Elle s'affole... Que faire pour que cette cloche cesse de sonner ? Minie se retrouve au sommet du clocher. Elle s'agrippe à la cloche, dans une vaine tentative pour l'immobiliser... Elle vibre avec elle... ressent chaque coup du battant dans tout son être... Elle a l'impression de faire corps avec cette cloche... qui sonne... sonne... sonne... et SONNE !

La vibration est terrifiante ! Toute la structure du clocher en tremble... Les murs se lézardent...

Puis, tout s'écroule... et la cloche s'élance dans le vide... Minie s'y cramponne avec le peu de force qui lui reste... Elle ne voit pas où la cloche l'emmène... Elle vogue ainsi durant ce qui lui semble être des heures et des heures... Et soudain, c'est la chute... La noirceur totale... Ce n'est plus celle des yeux fermés, des paupières closes. C'est une noirceur beaucoup plus opaque, glauque. Minie prend conscience, tout à coup, que sa hanche la fait terriblement souffrir... Au bout d'un moment elle ouvre les yeux, se voit étendue sur le plancher de la cuisine : « Charles... Charles! » La voilà à l'hôpital : « Je suis le docteur Guy Gauthier, Madame ; il va falloir vous opérer. Vous vous êtes fracturé la hanche gauche, lors de votre chute. C'est un effet de l'ostéoporose... À votre âge, c'est fréquent... Tout devrait bien se dérouler... Quelques semaines de physiothérapie et vous n'y penserez plus... Vous continuerez comme avant... »

Un autre nuage, plus court celui-là, passe à son tour... On l'a admise à un autre hôpital... Elle est maintenant à Marie-Clarac. On lui fait faire de la physiothérapie... Comme c'est pénible! « Le cœur me fait mal, Docteur... J'peux pas continuer... j'ai mal... Les exercices, c'est trop dur... » « Il faut essayer encore, Madame ; prenez votre temps... Essayez encore... Si vous ne réussissez pas les exercices, c'est le fauteuil roulant... Essayez, il faut essayer... » « J'en peux plus... j'en peux plus, Docteur... » « Encore un petit effort, Madame, vous y êtes presque... Tenez bien les barres parallèles, c'est ça... Pourquoi arrêtez-vous? » « Ça fait trop mal... J'sens que mon cœur va éclater... J'veux plus continuer... Non, j'aime mieux mourir... » Puis, un autre nuage...

Depuis quand Minie est-elle alitée? Elle ne saurait dire. Elle a perdu goût à la nourriture, elle d'habitude si gourmande. Plus rien ne lui importe... Et Charles qui est toujours là, au pied de son lit... Chaque jour... immobile, statufié... Plus le temps s'écoule, plus sa présence lui pèse. S'il parlait, au moins! Mais à part quelques mots, à l'arrivée et au départ, rien... Elle constate à quel point leur relation, à l'hôpital, est le microcosme de leurs cinquante-sept ans de vie commune : mutisme, banalités... Deux solitudes... « Comme il doit avoir hâte que je meure! », pense-t-elle... Elle le regarde... Des sentiments de mépris et de compassion se disputent sa conscience... Un moment, l'indulgence l'emporte, puis de mauvais souvenirs reviennent et renversent le verdict... « Il n'a pas été plus heureux que moi », se dit-elle. Mais comment compatir? En a-t-il éprouvé lui-même, à mon endroit, de la compassion ? Peut-être... parfois. Rarement. »

Puis, réduisant au silence le dilemme du bien et du mal, Minie s'avise qu'elle a le droit de décider des conditions de sa mort prochaine, cette mort qu'elle appelle maintenant comme une délivrance... qu'elle a le droit de décider par et pour elle-même de ses derniers moments.

Elle n'éprouve ni rancune, ni ressentiment à l'égard de son mari : juste une immense pitié. Le temps est venu de dire les vraies choses ; il lui appartient de briser ce mur de silence dont ils se sont réciproquement entourés depuis cinquante-sept ans. Elle rassemble toute son énergie :

– Charles...

Charles, à son tour, interrompt son soliloque intérieur, stupéfait. Il la regarde sans rien dire. Elle parle si rarement ; il ne l'en croyait plus capable, sans doute.

– Charles, ça va faire cinquante-sept ans bientôt qu'on est mariés... Pendant tout c'temps-là, tu m'as parlé beaucoup, mais on s'est pas dit grand-chose... Tu vas m'écouter sans m'interrompre, s'il te plaît. Même si j'm'arrête, pour reprendre mon souffle... parce qu'il m'en reste pas gros. J'veux pas qu'tu parles... t'as compris ?

Il acquiesce, d'un signe quasi imperceptible de la tête. Qu'est-ce qu'elle a, pour l'amour ?

– Comme j'viens de l'dire, pendant cinquante-sept ans, j't'ai écouté tout l'temps, Charles. Y' a rien qu'toi qui pouvais parler, rien qu'toi qui pouvais commander, rien qu'à toi qu'y' fallait obéir. Pendant cinquante-sept ans t'as oublié, Charles, que les personnes, c'est pas des machines. T'es peut-être ben bon en mécanique... mais pour c'qui est des sentiments, pis d'l'amour, t'en aurais gros à apprendre... Avec toi, Charles, j'me suis toujours sentie comme une horloge que tu démontais ou que tu r'montais comme ça t'entait... Que t'accrochais au mur ou que tu décrochais... Que t'arrêtais ou r'partais quand tu voulais, pis si tu voulais... Avec les enfants, ça' été pareil... Des p'tites machines que t'analysais, que t'évaluais... Si y' avaient du talent pour la mécanique, comme toi, t'es acceptais... Si y' en avaient pas, t'es r'jetais… Des p'tites machines que tu faisais marcher au fouett, quand c'était pas au pied…

Elle reprend lentement son souffle, tout en observant Charles qui devient de plus en plus mal à l'aise. Il continue de la regarder, mais cligne des yeux, comme pour se dissimuler.

— C'est pas qu't'es pas intelligent… Pis tu t'renseignes… J'me souviens du livre que tu t'étais acheté, avant not' mariage… Ben, j'pense que tu l'as lu comme t'aurais lu un *Popular Mechanic*… T'étais tellement fier de toi que t'as même pas pensé que j'pouvais avoir quelque chose à dire, moi aussi, sur « la vie à deux »… Que si on devait la passer ensemble, cette vie-là, ça pouvait être utile qu'on s'entende sur la façon qu'on voulait la vivre. Mais non! Tu t'étais acheté un livre, tu l'as compris à ta façon, c'était tout' c'qui comptait! La seule chose qui m'a fait t'endurer, Charles, c'est que j'te sentais pas plus heureux pour autant… J'sentais que t'aurais aimé ça, pouvoir parler comme tes héros d'opéras. Mais t'as jamais appris… Pis moi, p'tit à p'tit, j'ai désappris le peu que j'savais… Quand on s'est mariés, Charles, j'avais des doutes… Oui, j'dois te l'avouer, j'en avais, mais j'étais prête à tout faire pour que ça marche… Mais pas plus d'une semaine après qu'on a été mariés, tu m'as brisé l'cœur… J'ai pas réussi à le r'coller, après… Pis là, j'sens qu'y' va me lâcher ça s'ra pas long… C'est pour ça que j'le laisse parler…

J'ai jamais oublié c'te soir-là, à la Pointe-Saint-Charles… J'étais v'nue m'asseoir su' l'bras du fauteuil, pendant qu' tu lisais ta *Presse*… pour te minoucher un peu… Tu t'rappelles-tu?

Le visage de Charles demeure impassible :

— J'vois ben qu' tu t'en rappelles pas… ou que t'aimes mieux pas t'en rappeler! Ce soir-là, j'avais osé t'approcher, pendant que tu lisais ton journal… Tu m'as r'poussée… Tu m'as r'poussée tellement fort que j'suis tombée par terre… Tu t'es même pas inquiété que j'me sois fait' mal… Pas un mot de regret… Pas une trace d'émotion… Tu t'es débarrassé de moi comme on envoy' prom'ner un chien qui nous achale… Pire que ça, parc'que… à ben y penser… tu donnais plus d'affection à Rouillette qu'à moi… J'me suis jamais sentie aussi humiliée de toute ma vie! Tout' c'que j'avais de capacité d'amour dans l'cœur, Charles, quand on s'est mariés, tu l'as fait sécher, p'tit à p'tit. J'en ai plus d'amour pour toi, Charles… juste une grande pitié… Tu fais pitié à voir… J'sais que la mort s'en vient… C'est pas étonnant, ça fait des mois que j'l'appelle… La mort pis moi, on s'connaît ben… Je l'ai eue dans mon ventre, je l'ai eue dans mes bras… plusieurs fois… On a appris à s'apprivoiser… Elle m'fait pas peur… Quand j'pense qu'on dit que les femmes donnent la vie! Peuh! Moi, j'ai eu le sentiment de donner la mort aussi souvent qu'la vie… Peut-être plus souvent!

Minie se tait, à bout de souffle. Charles, visiblement mal à l'aise, supporte difficilement ce moment. Il décroise les jambes, les recroise, replace le pli de son pantalon — un tic qui révèle, chez lui, un degré de nervosité élevé — et, déjà, souhaite qu'elle reprenne son monologue, qu'elle brise cet insupportable silence! Minie reprend :

– J'sais qu'j'en ai pas pour longtemps… Quelques heures… une couple de jours, au plus… Mais c'est des heures qui m'appartiennent, des heures qui appartiennent rien qu'à moi! J'aimerais ça les avoir, ces dernières heures, à moi toute seule… J'aimerais ça pas être obligée de t'entendre répéter les mêmes banalités, quand t'arrives pis quand tu r'pars… J'aimerais surtout ça pas être obligée de t'voir malheureux d'être là, de t'voir avoir hâte que l'heure des visites finisse… De t'entendre dire : « À demain », en souhaitant que demain j'sois morte…

J'dis pas ça pour t'offenser, Charles, pis si j'te fais d'la peine, c'est que j'me trompe grandement. J't'en d'mande pardon, comme à Dieu… Mais y' est temps que j'dise c'que j'pense… Y' est temps que j'pense à moi… Ça fait que si tu veux m'faire plaisir, pis te faire plaisir en même temps… pars tout d'suite, pis r'viens pus! J'veux mourir toute seule, pis tranquille… L'hôpital t'appellera quand ça s'ra fini... T'as compris? J'veux qu' tu partes... Pars, envoy'! Va-t'en! Va-t...

Minie est complètement vidée. Elle ferme les yeux un moment, reprenant prudemment son souffle. Charles s'est levé, lentement. Il n'y a pas de mots pour qualifier son état d'esprit. Il semble chercher quelque chose à dire, mais ne trouve rien. Sa tête doit tourner comme un carrousel, sans pouvoir retenir une seule pensée utile, songe Minie. Lentement, il prend son chapeau, recule de deux pas, regarde sa femme sans comprendre. Il ne l'a jamais vue dans cet état. Elle le regarde droit dans les yeux, sans sourciller. On dirait une nouvelle personne. Il doit en éprouver une certaine curiosité, voisine de l'admiration. Il aimerait sans doute engager la conversation, une nouvelle conversation avec cette personne qui lui semble également différente. Mais il n'arrive pas à passer à l'acte. Pourtant, il aime causer. Il a toujours aimé converser... Mais il ne sait pas comment satisfaire le nouveau sentiment que Minie lui inspire, c'est évident. Et puis, il y aurait trop d'ombres à dissiper, trop de non-dits à formuler, trop de décisions arbitraires à justifier. Il est trop tard... il est vraiment trop tard! Il fait un geste évasif, malhabile. Un geste qui semble signifier quelque chose comme : « Puisque c'est comme ça... », et il gagne la porte. Charles s'empare de la poignée, se retourne, hésite, prend le temps de murmurer : « Adieu. » Puis, il disparaît dans sa solitude.

Minie ressent une grande détente par tout son être. « Pardonnez-moi, mon Dieu, si j'ai péché par égoïsme... Je ne recommencerai plus... j'vous l'promets. Mais j'peux pas dire que j'le r'grette. » Elle ferme les yeux, évacue de son esprit toute réflexion... Que c'est bon, que c'est calme! Elle perçoit, dans le lointain, des harmonies d'un autre monde... Des légions de violons, d'altos, de violoncelles et de contrebasses font planer une musique angélique, toute de douceur, de grandeur. Elle se retrouve dans une cathédrale immense, vaporeuse et blanche, se dressant sur d'énormes cumulus… Les musiciens — ni hommes ni femmes — y arborent tous de grandes ailes dorées… Puis, des voix se mêlent aux cordes… Les voix de sa chorale! Peu à peu, elles remplacent les instruments, reprennent le thème, *a cappella* :

Pange, lingua, gloriosi Corporis mysterium,
Sanguinisque pretiosi, quem in mundi pretium
Fructum ventris generosi Rex effudit Gentium…

– Que c'est beau…

Combien de temps s'est-il écoulé, à écouter cette musique céleste? Des heures? Davantage? Minie ne pourrait le dire, mais elle a le sentiment d'avoir goûté à un moment d'éternité lorsqu'elle revient sur terre, à son grand regret. L'infirmière est à prendre son pouls. Minie réussit à lui demander, faiblement : « Tournez-moi… du côté gauche… s'il vous plaît… que j'puisse voir… la porte… »

Épilogue

Les proches commencent à déserter le tertre funéraire, les uns, avec un mouchoir humide à la main, les autres, soulagés que le cérémonial soit terminé et contents de pouvoir retourner à leurs univers. Parmi eux, le grand Charles, droit comme un peuplier de Lombardie malgré ses quatre-vingt-quatre ans. Il donne le bras à sa belle-fille Bernadette. Son fils Victor les accompagne. Bernard les regarde s'éloigner. Il éprouve des sentiments mitigés à l'endroit de son père. Il y a quelques jours à peine, il l'exécrait pour avoir abandonné Minie, à l'agonie. Mais il doit refouler ce sentiment au souvenir de sa propre lâcheté. N'a-t-il pas lui-même, lors de sa dernière visite, délaissé sa mère mourante? Rien ne l'empêchait de rester à son chevet jusqu'à la fin. Non. Non! Il ne vaut guère mieux que son père. Il devrait plutôt le plaindre, comme il se plaint lui-même.

Bernard ne veut pas fuir le cimetière aussi rapidement. Il a le goût de s'attarder.

Cherche-t-il à se racheter?

Il ignore les doigts de Marie-Berthe qui, joints aux siens, lui transmettent de petits signes d'impatience contenue, ou, à tout le moins, quelque chose comme : « Viens-t'en, c'est assez… ». Il regarde le cercueil, tout au fond de la fosse. Comment une vie peut-elle se terminer d'une façon aussi banale, se demande-t-il? Comment ces soixante-dix-sept ans, en grande partie consacrés à ceux qu'elle n'avait même pas choisi de mettre au monde, mais qu'elle aimait intensément, comme si elle les avait ardemment désirés, comment cette vie pouvait-elle se clore par quelques gestes d'un rituel en soi insignifiant?

Il lui semble que toutes les cloches de toutes les cathédrales de tous les continents auraient dû carillonner pour en informer la terre entière. Il lui semble que les anges du ciel auraient dû apparaître, manifester leur existence, pour une fois, et sommer chacun de s'arrêter et de prendre conscience que l'amour existe, que l'amour est encore et sera toujours agissant, surtout dans la grisaille des jours successifs, dans la répétition de gestes en apparence insignifiants, l'accomplissement de petits riens.

Il se rappelle leur dernière rencontre, il y a quelques jours à peine. Il se souvient, honteusement, douloureusement, de son incapacité d'alors à témoigner, par des gestes simples, des gestes qui viennent naturellement à tout fils aimant, l'affection qu'il vouait à cette femme, sa mère. Déjà, il se sent différent et souhaite qu'il lui soit permis de se reprendre. Comme il saurait maintenant, pense-t-il, la prendre dans ses bras, caresser sa vieille peau, lui dire tout son amour! Mais, tout au fond de lui-même, il soupçonne cette prétendue métamorphose de n'être que la contrition de son impuissance. Demain, dans des circonstances semblables, celle-ci sera encore agissante.

Il pense à son père. Il sait qu'il a hérité de plusieurs de ses traits, dont cette grande difficulté à extérioriser ses sentiments. Cette seule pensée le met hors de lui. Il voudrait tellement se faire plus chaleureux, plus spontané! S'entendre dire enfin ce qu'il ressent; savoir communiquer ses joies comme ses peines au moment où il les éprouve; accueillir sans pudeur et sans crainte les confidences de l'autre, y répondre de façon authentique.

Il lui faut reconnaître qu'il lui faudra, pour changer, pour changer vraiment, être vigilant et se permettre de petits élans, d'abord, avant d'espérer pouvoir en vivre de plus grands. Mais comment y parvenir? Par où commencer?

Il se penche, arrache une fleur d'une couronne déposée tout près et la jette au fond de la tombe. Geste tardif, anodin, mais qui lui fait du bien.

Quand les fossoyeurs auront terminé leur boulot, pense-t-il, il ne restera qu'un monticule de terre fraîche, que les herbes dites mauvaises auront rapidement reconquis... sur ce lot de la XIV⁰ station du chemin de croix du cimetière de l'Est de Montréal. Et, sur le monument funéraire, qu'une inscription lapidaire :

HERMINIE LAREAU

1892 – 1969

Bernard réfléchit à la vie, à la mort et à l'au-delà, si au-delà il y a. Il se convainc de plus en plus que l'éternité se joue, se décide ici et maintenant, survient à chaque instant dans la simplicité du geste, la gratuité du don et l'authenticité de l'accueil ; que le néant résulte du refus, du rejet de l'autre ou de l'indifférence. Aussi, la survie des âmes, l'éternité des êtres ne peuvent-elles avoir qu'un lieu de résidence, qu'un lieu de propagation : le cœur des survivants qui consentent à entretenir le souvenir de l'accueil, du don ou du geste dont on les a gratifiés.

Cette réflexion suscite chez Bernard le désir de devenir plus généreux, plus accueillant. Il ressent même une certaine urgence à s'y consacrer.

Consentant enfin à la requête tacite de Marie-Berthe, il pivote sur lui-même et se dirige avec elle vers la voiture où leurs enfants les ont déjà précédés. Tout en marchant, il presse, plus que d'habitude, la main de sa femme.

Au moment de mettre le moteur en marche, il se retourne, regarde lentement et à tour de rôle ses enfants et son épouse, leur sourit :

– Je vous aime!

෴

Le moment est sans doute venu d'informer la lectrice ou le lecteur que Bernard est l'auteur de ce récit, et de lui permettre, ici, de reprendre la plume à la première personne.

Pourquoi la tâche, le devoir, le privilège d'être l'assembleur et le propagateur des fragmentaires confidences de cette femme et de mes propres observations de sa vie devaient-ils m'incomber à moi, plutôt qu'à l'un ou l'autre de mes frères?

Sans doute à cause de mon rang, dans la famille. Un « p'tit dernier » est souvent admis à partager, avec ses parents, bien des situations, des échanges, voire des conflits dont les aînés sont exclus. Ceux-ci, en effet, sont pour les parents des témoins curieux, culpabilisants, alors que le p'tit dernier, souvent, est trop jeune pour comprendre. On lui permet facilement de vivre un peu en retrait des autres, un peu en spectateur.

Pendant plus de vingt ans, j'ai vécu aux côtés de ma mère. Pendant plus de vingt ans, j'ai été témoin de ses frustrations comme de ses compensations, de ses nombreuses peines comme de ses rares joies, de ses deuils comme de ses résurrections. J'ai mis du temps à reconnaître que son apparente jovialité et la facilité avec laquelle elle s'esclaffait (généralement en l'absence de son mari) n'étaient que l'expression d'une carence énorme : elle avait besoin de rires et les consommait comme une drogue!

Pendant plus de vingt ans, j'ai aussi été marqué par mon père. Autant j'admirais chez lui l'intelligence, le génie créateur et la rigueur intellectuelle, autant j'exécrais sa froideur, la dureté de ses jugements et son intransigeance. Je n'arrivais pas à comprendre comment un homme pouvait semer, sur sa propre route, autant d'obstacles, susciter autant d'inimitiés.

Jour après jour se mêlaient, en moi, des sentiments de compassion, de révolte, d'admiration, d'hostilité et d'amour, autant à l'égard de l'un que de l'autre. Pendant tout ce temps, et même longtemps après, j'ai cherché à comprendre, j'ai cherché à traduire...

Que pouvais-je tirer de ces modèles? Comment cesser d'être marqué par eux, mais surtout : comment éviter les pièges dans lesquels leurs vies s'étaient enlisées?

À mon père, je devrais sans doute être reconnaissant de m'avoir involontairement aidé à résoudre le dilemme qu'il me posait. Le jour où il me déclara n'avoir plus confiance en moi — j'avais alors vingt-quatre ans — un déclic s'est produit, quelque chose s'est rompu quelque part. Je ne saurais dire si la brisure se fit dans mon cœur ou dans ma tête, la douleur était trop entière. J'ai senti, intuitivement d'abord, puis de façon de plus en plus nette, que j'étais devenu orphelin.

Difficile de dire si c'est moi qui l'avais « tué » ou s'il s'était « suicidé » à mes yeux. Le résultat fut le même : il venait de mourir! Étrangement, je m'en suis trouvé libéré et singulièrement apaisé.

Il aura pourtant fallu que ma mère meure, dix-huit ans plus tard, pour que j'apprenne à vivre, pour que je me rende compte que les questions que sa vie me posait, seule la mienne pouvait y répondre. Il aura fallu que je la perde pour en venir à me posséder. Il aura fallu que j'évoque ses malheurs et ses déceptions pour me décider, enfin, à être heureux.

« Maman, merci de m'avoir montré la voie.
Je t'aime. Je ne t'oublierai jamais… »

Bernard

PAO : Éditions Vents d'Ouest inc., Hull

Impression et reliure : Imprimerie Gauvin limitée, Hull

Achevé d'imprimer en mars
mil neuf cent quatre-vingt-dix-neuf

Imprimé au Canada